Boda por contrato
Yvonne Lindsay

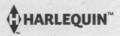
HARLEQUIN™

Editado por Harlequin Ibérica.
Una división de HarperCollins Ibérica, S.A.
Núñez de Balboa, 56
28001 Madrid

I.S.B.N.: 978-84-9170-133-0
Depósito legal: M-24987-2017
Impresión en CPI (Barcelona)
Fecha impresion para Argentina: 1.5.18
Distribuidor exclusivo para España: LOGISTA
Distribuidores para México: CODIPLYRSA y Despacho Flores
Distribuidores para Argentina: Interior, DGP, S.A. Alvarado 2118.
Cap. Fed./Buenos Aires y Gran Buenos Aires, VACCARO HNOS.

Capítulo Uno

Ottavia volvió a alisarse el vestido con la mano por enésima vez, y se dijo que no había razón para estar nerviosa. Por su profesión estaba acostumbrada a tratar con hombres poderosos e influyentes. ¿Por qué habría de ser distinto tratar con un rey?

El reloj barroco sobre la repisa de la chimenea continuó con su quedo tictac, marcando los segundos, que parecían pasar con tortuosa lentitud. Por suerte, sin embargo, no tuvo que esperar más, porque en ese momento se abrieron las puertas de madera al fondo de la sala. Se le encogió el estómago y un cosquilleo nervioso le recorrió la espalda, pero en vez del rostro regio que esperaba ver, quien estaba allí de pie, en el umbral, era su consejera Sonja Novak.

Iba impecablemente vestida con un traje de Chanel, y llevaba el cabello gris recogido en un moño perfecto.

—Su majestad la recibirá ahora —anunció.

—Le esperaré aquí —contestó Ottavia, con la mayor firmeza que pudo.

La señora Novak frunció el ceño y le lanzó una mirada furibunda.

—Señorita Romolo, es el rey de Erminia quien la llama a su presencia; no al revés. Está esperándola.

—Pues me temo que su majestad se cansará de esperar —respondió ella.

Y, haciendo acopio de valor, le dio la espalda a la mujer y se puso a mirar por la ventana. Contó en silencio, esforzándose por controlar su respiración y su pulso acelerado: uno, dos, tres… Iba por siete cuando oyó a la señora Novak resoplar de indignación, y luego el ruido de sus tacones mientras se alejaba.

Ottavia se permitió una pequeña sonrisa triunfal. Sí, sería él quien acudiera a ella. Había visto cómo la había mirado el día de su llegada. Su aspecto había dejado bastante que desear –normal, tras varios días cautiva, sin siquiera una muda para cambiarse–, pero aun vestida con la misma ropa que había llevado durante casi una semana, y sin maquillar, la había devorado con los ojos. La deseaba, y ella sabía muy bien cómo sacar provecho de esa debilidad.

Además, no iba a comportarse como un dócil corderito. No solo había sido raptada y retenida varios días contra su voluntad por orden de la hermana del rey, la princesa Mila, sino que esta había tenido también la desfachatez de llevarse su ropa y suplantarla, haciéndose pasar por ella ante su cliente, el rey de Sylvain. Y aunque hubiese pasado su cautiverio en una suite de lujo de uno de los mejores hoteles de Erminia, eso no excusaba lo que le habían hecho pasar.

Pero lo más sangrante era que, cuando había logrado escapar y había acudido al rey Rocco para ponerle al corriente de lo que había hecho su hermana y lo que se traía entre manos, había dado orden de que la retuvieran allí, en la residencia de verano de la familia real, para evitar que hablara con los medios.

Aunque tampoco le había servido de mucho, porque de algún modo lo ocurrido había acabado filtrán-

4

dose, y las cadenas de radio, televisión y la prensa se habían hecho eco del escándalo.

Hacía dos semanas por fin le habían devuelto su ropa, y ya solo quedaba una cuestión pendiente: hablar con el rey y conseguir que la compensaran, como merecía, por daños y perjuicios.

Estaba tan abstraída en sus pensamientos, tan empeñada en avivar el fuego de la indignación que ardía en su interior, que no oyó abrirse las puertas detrás de ella. Sin embargo, de inmediato advirtió que no estaba sola, porque sintió la poderosa presencia que había invadido la sala, y el corazón le dio un vuelco al darse la vuelta y ver al rey.

Cuando alzó sus ojos hacia los de él, de un inusual color jerez, su mirada le recordó a la de un felino salvaje acechando a su presa, esperando para abalanzarse sobre ella. Y aunque esa imagen visual debería haberle infundido temor, lo que sintió fue que la invadía, de repente, una ráfaga de calor.

Él, sin embargo, tampoco parecía inmune a ella, observó con satisfacción. Lo supo por el modo en que sus ojos descendieron por su figura, fijándose sin duda en cómo se le marcaban los pezones a través de la fina seda del vestido. Esbozó una leve sonrisa e inspiró profundamente, haciendo que sus pechos se elevaran. Luego se inclinó con una grácil reverencia, agachó la cabeza y esperó en silencio a que le diera su permiso para volver a erguirse.

—Esa muestra de respeto llega tarde y es insuficiente, señorita Romolo —le dijo, haciéndola estremecer por dentro con su profunda voz—. Levántese.

Al erguirse, vio que tenía apretados los labios y la

mandíbula: estaba molesto. Pero no por eso iba a arredrarse, ni a dejarse intimidar. Era ella quien tenía todo el derecho a estar enfadada después del trato que le habían dado.

Rocco avanzó hasta quedar a solo un par de pasos de ella, y le sorprendió ver que la cortesana ni siquiera pestañeó. Era una mujer dura. Que hubiera tenido la osadía de intentar cobrarle por el tiempo que la había tenido allí retenida lo había divertido más que lo había airado, pero no tenía intención de dejárselo entrever.

–¿Qué significa esto? –exigió saber, tendiéndole el papel que le había hecho llegar.

–Imagino que su majestad sabe lo que es una factura –respondió ella.

Su voz, suave y perfectamente modulada, lo envolvió como un manto de terciopelo. ¿Sería una de sus armas como cortesana?, se preguntó Rocco. ¿Seducía a los hombres con su voz antes de emplear otras artimañas? Pues si pensaba que con él le iba a funcionar, se equivocaba, pensó, y sus labios se curvaron en una sonrisa burlona.

–No tiene derecho a cobrarme por el tiempo que lleva aquí –le dijo, antes de romper la factura en dos y dejarla caer al suelo–. Es mi prisionera; y como tal, no tiene ningún derecho.

Ella enarcó una ceja.

–Yo no lo veo así, majestad. De hecho, su familia me debe mucho.

Rocco no pudo sino admirar sus agallas. Muy poca gente se atrevería a desafiarlo.

—¿Ah, sí? Explíqueme qué le debemos —le exigió.

—Para empezar, no pude cumplir mi contrato con el rey de Sylvain porque vuestra hermana, y después vos, me retuvisteis contra mi voluntad. No vivo del aire; tengo mis gastos, como cualquiera, y si no me pagan por mi tiempo, no puedo hacer frente a esos gastos.

Rocco la estudió en silencio, fijándose en su largo y grácil cuello y en sus hombros, muy femeninos, que un corte en las mangas dejaba al descubierto. El vestido, ceñido y de color rubí, resaltaba el brillo de su piel, ligeramente bronceada. ¿Estaría morena por todas partes?, se preguntó, ¿o habría parches de piel más pálidos en las zonas más íntimas?

—Me habéis tratado injustamente, y continuáis haciéndolo —le espetó ella—. Liberadme.

Hablaba con pasión y sus ojos relampagueaban. La verdad era que disfrutaba pinchándola.

—¿Es lo que quiere?, ¿que la deje marchar? —repitió. La miró largamente, como si estuviera considerándolo, y vio una chispa de esperanza en sus ojos—. Me temo que no puedo hacer eso; aún no he acabado con usted.

—¿Que no habéis acabado? —exclamó ella sulfurada—. ¿Pero qué es lo que queréis de mí? Yo no he hecho nada.

—Ese es el problema, señorita Romolo. Me ha hecho una factura por el tiempo que lleva aquí y… bueno, imagino que habrá calculado el importe tomando como base sus tarifas habituales, ¿no?

Ella asintió.

—Entonces, estará de acuerdo conmigo —prosiguió él— en que debería hacerme un descuento por no haberme prestado ningún servicio.

Dio un paso atrás y observó divertido cómo le descolocó su respuesta.

—¿Es que su majestad requiere de mis servicios? —inquirió ella.

Si le hubiera preguntado hacía cinco minutos, le habría dado un enfático «no» por respuesta por todas las molestias que le había causado. Si no la hubiese contratado el rey Thierry de Sylvain, ambos reinos se habrían ahorrado un sinfín de problemas.

Hacía siete años se había concertado un matrimonio entre Thierry y su hermana Mila, que, al saber que su prometido había contratado los servicios de una cortesana, no había dudado en secuestrarla y suplantarla para asegurarse de que su futuro marido no compartiría su lecho con nadie más que con ella.

Su plan había funcionado, en un principio, pero cuando Thierry había descubierto su engaño se había puesto furioso, y al filtrarse aquello a la prensa, no se sabía cómo, con el consiguiente circo mediático, había cancelado el compromiso. Y había tenido que ocurrir algo muy grave, que casi había terminado en desgracia, para que se reconciliasen. Pero se habían reconciliado, se habían casado y ahora eran un matrimonio muy feliz.

Y, sin embargo, no podía olvidarse de que, de no haber sido por esa mujer, Ottavia Romolo, nada de todo aquello habría pasado. Así que no, hasta entonces ni se le había pasado por la cabeza, a pesar de sus considerables encantos, disponer de sus servicios, pero lo tenía tan hechizado, tan intrigado, que de pronto se sentía tentado de darle un sí por respuesta.

—Aún no lo he decidido —contestó.

–Ni yo os lo he ofrecido –replicó ella.

Vaya, vaya… Sí que tenía agallas. Se aferraba con uñas y dientes a su orgullo y su dignidad. Ese arranque de carácter hizo que una ola de calor aflorara en su entrepierna. Le gustaban los retos, y aquella mujer era un reto singular, una verdadera tentación, y las reacciones que provocaba en él lo irritaban y lo excitaban a la vez.

–Se equivoca si cree que tiene elección, señorita Romolo.

Ella alzó la barbilla, desafiante, y le contestó:

–Yo siempre tengo elección. Y me alegra que haya roto mi factura –añadió con una sonrisa.

Eso sorprendió a Rocco. De todo lo que podría haber dicho, eso no se lo había esperado.

–¿Ah, no? ¿Y eso por qué?

–Porque el precio por mis servicios acaba de subir, majestad.

Capítulo Dos

Ottavia se quedó mirándole fijamente, con la esperanza de que no se le notase lo nerviosa que estaba. El monarca tenía fruncido el ceño, y sus ojos refulgían como un trozo de ámbar mirado al trasluz.

Aunque fuera un rey, se dijo, seguía siendo un hombre. Entreabrió ligeramente los labios, se los humedeció con la punta de la lengua, y observó satisfecha cómo el rey bajaba la vista a su boca y tragaba saliva. ¿Habría mordido el anzuelo?

—Pues más vale que merezca la pena —contestó él de mala gana, como si estuviese librando una batalla consigo mismo.

Ottavia agachó la cabeza para disimular la sonrisa que se dibujó en sus labios.

—Entonces, ¿vamos a firmar un contrato, mi señor?

Él se echó a reír, y su risa transformó por completo sus facciones, imprimiendo en ellas un magnetismo aún mayor.

—Aún cree que es usted quien tiene las riendas, ¿no? —dijo enarcando una ceja.

—Tengo pleno control sobre mi vida y las decisiones que me conciernen —contestó ella.

Sin embargo, por desgracia no había sido siempre así. Como cuando, a sus catorce años, el novio de su madre había empezado a mostrar un interés libidinoso por ella y… Apartó esos horribles recuerdos de su mente. Aquello había quedado atrás; ese día había tomado el control de su vida, y se había jurado a sí misma que jamás volvería a encontrarse a merced de nadie.

Se concentró en el presente y repensó su estrategia. Quizá debería tentar al rey Rocco con algo más. Se volvió y, al alejarse despacio hacia el ventanal que se asomaba a los jardines y el lago, sonrió satisfecha cuando oyó al rey aspirar bruscamente por la boca. Casi podía sentir el calor de su mirada recorriéndole la espalda, que la parte trasera del vestido dejaba completamente al descubierto. Se acercó a ella por detrás.

–Entonces, es muy afortunada –le susurró al oído.

Ottavia cerró los ojos y se quedó muy quieta.

–¿Afortunada? –inquirió. ¿Por qué su voz sonaba ronca de repente?

–Un rey no siempre puede elegir –respondió él.

–Yo creía que siempre se hacía vuestra voluntad, mi señor.

El calor que la estaba abrasando se desvaneció de pronto, y supo que él se había apartado. Se volvió lentamente y lo vio con las manos entrelazadas a la espalda y la vista fija en un retrato de su difunto padre que colgaba de la pared.

–Tengo una proposición que hacerle, señorita Romolo –dijo sin mirarla–, y hará usted bien en aceptarla.

–¿Así, sin más? ¿Sin saber siquiera las condiciones? –le espetó ella–. ¿Sin negociar? Me parece que no.

–¿Acaso lo negocia usted todo?

–Soy una mujer de negocios.

El rey se volvió para mirarla.

–¿Así es como llama a su… profesión? ¿Lo considera un negocio?

–¿Cómo lo llamaría su majestad si no? –respondió ella desafiante.

La comisura de los labios del rey Rocco se curvó ligeramente. Estaba poniéndola a prueba.

–Venga aquí, señorita Romolo –la llamó, atrayéndola con el dedo.

Ottavia avanzó hacia él con estudiada elegancia.

–¿Sí, mi señor? –inquirió, inclinando la cabeza al detenerse frente a él.

El monarca se rio suavemente.

–Ese aire sumiso no va en absoluto con usted –dijo, levantándole la barbilla para obligarla a mirarlo.

Al ver el fuego del deseo en sus ojos, de los labios de Ottavia escapó un gemido ahogado que él silenció con un beso. Completamente desprevenida, se quedó inmóvil mientras su lengua exploraba cada rincón de su boca, y sintió cómo una ola de calor se desplegaba por su cuerpo.

Y de pronto el beso terminó, tan abruptamente como había empezado. Se tambaleó ligeramente antes de recobrar el equilibrio, y la ira se apoderó de ella, sofocando el deseo que le había despertado. Según parecía se creía con derecho a tomar sin su permiso lo que quisiera de ella.

Otro hombre que la veía como un juguete del que disponer a su capricho…

Sin embargo, si quería recobrar el control, no le quedaba otra que tragarse su indignación, así que esbozó una sonrisa, y le preguntó con aspereza:

–¿Probando la mercancía?

***

Rocco respondió con una sonrisa tranquila, lo cual no fue poca cosa cuando, a causa del beso, buena parte de su riego sanguíneo se había concentrado en su entrepierna. Estaba empezando a comprender por qué aquella cortesana estaba tan demandada. Era adictiva: un solo beso, y ya quería más.

Hacía tanto que no... Naturalmente siempre tenía que anteponer las necesidades de su país, pero al país no le haría ningún daño que aprovechara aquella oportunidad para saciar su deseo. Sí, quizá una buena dosis de sexo sin ataduras lo ayudaría a aclarar su mente.

—Contrataré sus servicios, señorita Romolo, y estoy dispuesto a pagar esa factura irrisoria que me había enviado, y lo que estime oportuno —ladeó la cabeza, estudiándola, como si de una obra de arte se tratara—. Ponga usted el precio.

Ottavia pronunció una cifra astronómica en comparación incluso con la factura que le había enviado. ¿Creía que iba a asustarlo con sus exigencias? Pues se equivocaba...

—Parece que considera sus servicios de gran valor —observó Rocco, entre exasperado y divertido.

—Considero que yo lo valgo —le espetó ella.

Sin embargo, a Rocco no le pasó desapercibido el ligero temblor de su voz. Sabía que se había pasado de la raya poniendo ese precio desorbitado.

—Pagaré esa cantidad —dijo—. ¿Trato hecho entonces?

—Aún no hemos hablado de la duración del contrato —apuntó ella.

—Pongamos… un mes.

Nada más decirlo se dio cuenta de que, por tentador que se le antojase pasar ese tiempo con ella, debía ser realista. No podía quedarse allí, alejado del mundo. Tenía que volver a la capital. Había asuntos que requerían su atención… como encontrar una esposa. Claro que, después del reciente y feliz enlace de su hermana con el rey del país vecino, con el que hasta entonces no habían tenido muy buenas relaciones, bien podía tomarse un descanso, siempre y cuando se mantuviese en contacto con la capital por correo electrónico y por teléfono.

—¿Un mes? —repitió ella—. Está bien. Y ahora, si su majestad hace que me devuelvan mi móvil y mi ordenador portátil, redactaré un nuevo contrato.

—Daré orden ahora mismo de que se los hagan llegar —contestó Rocco—. La veré en mis aposentos privados para cenar, a las nueve y media.

Se dirigió a la puerta de doble hoja y se detuvo antes de abrirla.

—Ah, y… señorita Romolo…

—¿Sí, mi señor?

—No se moleste en vestirse… para la ocasión.

Satisfecho de llevar de nuevo la batuta, y de haber dicho la última palabra, abandonó la sala de recepciones, dejando sola a aquella exasperante criatura, y se encaminó hacia su despacho. Sonja, que esperaba en el pasillo, echó a andar a su lado.

—¿Hago que la echen de aquí? —le preguntó.

—No.

—¿No?

14

–Va a quedarse aquí, conmigo, durante un mes… si no me canso de ella antes de que el mes haya acabado.

Algo le decía que no se cansaría tan pronto de ella.

–Pe-pero… –comenzó a protestar Sonja.

Rocco se paró en seco, y reprimió un suspiro de hastío. ¿Quedaría alguna mujer en Erminia que no lo cuestionase? Parecía que todas estaban empeñadas en llevarle la contraria. Primero su hermana, luego la cortesana… y ahora también Sonja, el miembro de su consejo en quien más confiaba.

–Sigo siendo el rey de Erminia, ¿verdad?

–Por supuesto.

–Pues siendo así creo que tengo derecho a decidir si quiero que alguien sea mi huésped durante un tiempo. Sé que has estado a mi lado desde que murió mi padre, y antes de eso, Sonja, pero no olvides a quién sirves.

–Te pido disculpas –respondió ella, con una inclinación de cabeza.

–Me pides disculpas, pero tengo la sensación de que sigues pensando que estoy cometiendo un error.

–No me parece muy buena idea invitar a quedarse aquí a una mujer de esa clase, cuando estás intentando encontrar esposa.

Esa vez Rocco sí que suspiró.

–Lo sé.

Una vez hubiese elegido esposa tenía toda la intención de serle fiel en cuerpo y alma, pero con el futuro que le esperaba –toda una vida unido a una mujer por deber y no por amor–, ¿podía echársele en cara que quisiera darse un capricho mientras aún era libre?

–¿Algo más? ¿Alguna cosa que requiera mi atención? –le preguntó a Sonja.

–Nada que no pueda esperar hasta mañana –admitió ella.

–Bien. Por cierto, la señorita Romolo ya no es mi prisionera. Por favor, asegúrate de que le sean devueltos su teléfono y su ordenador, y proporciónale una clave de acceso a Internet.

–¿Lo consideras prudente?

Rocco frunció el ceño, irritado de ver que continuaba cuestionando su autoridad, y Sonja inclinó de nuevo la cabeza y murmuró:

–Haré lo que me pides.

–Gracias –contestó Rocco con los dientes apretados, y siguió su camino.

Al llegar a sus aposentos se fue derecho al dormitorio. Se sentía como si el traje que llevaba puesto fuera una camisa de fuerza. Se arrancó la corbata, la arrojó sobre un diván junto a la ventana y empezó a desabrocharse la camisa. Sin duda, a su ayudante de cámara, a quien había dejado en la capital, le daría un patatús si le viera tirando la ropa con tan poco respeto como estaba haciendo en ese momento, pero a cada prenda que se quitaba se sentía un poco más libre y menos como un rey.

Ya en ropa interior, sacó de la cómoda un pantalón corto de chándal, una camiseta y unos calcetines. Se los puso y se calzó unas zapatillas de deporte para salir a correr. Si no hacía un poco de ejercicio para desfogarse se volvería loco, o se esfumaría esa férrea capacidad de autocontrol por la que era famoso.

Las dos horas siguientes las pasaría a solas –bueno, tan a solas como podía estar con sus guardaespaldas tras él todo el tiempo, como su sombra. Bajó al trote la escalera trasera del castillo, ignorándolos, y echó a correr hacia el camino que bordeaba el lago.

Diez kilómetros después estaba empapado en sudor, pero no estaba demasiado cansado. Aminoró un poco la carrera y pensó en la cara de felicidad de su hermana el día anterior, cuando había pronunciado sus votos de matrimonio con el rey Thierry de Sylvain.

Aquella unión había servido para acercar a los dos países y a alejar la inminente amenaza de una guerra, azuzada sin duda por el movimiento insurgente que quería echarlo y colocar en su lugar a un advenedizo que pretendía ocupar el trono.

Rocco no había sabido nada de aquel supuesto aspirante al trono hasta hacía unos meses. Afirmaba ser hijo ilegítimo de su padre, el difunto rey, y no se habían difundido ni su nombre ni su identidad, pero el movimiento a favor de sus pretensiones había conseguido un buen número de partidarios, que estaban agitando a la población por el cambio que apoyaban, aunque fuera a costa de una guerra.

Erminia había estado haciendo equilibrios en la cuerda floja para evitar una hostilidad abierta, y el general Andrej Novak, el mando supremo del Ejército, e hijo de Sonja, había llegado a recomendar encarecidamente que aumentara la presencia de sus tropas en la frontera. La situación había empeorado cuando había saltado el escándalo por lo que Mila había hecho: secuestrar a la señorita Romolo y suplantarla. Y luego, cuando Mila había acudido en persona a Sylvain para suplicarle a Thierry que le diera otra oportunidad y él se la había negado, Rocco se había temido que en cuestión de días se desatase un conflicto armado. Pero entonces Mila había sido secuestrada en su viaje de regreso a Erminia, y todo había cambiado.

Rocco frunció el ceño al recordar el horror de esos días en que un grupo de partidarios de su supuesto hermanastro la habían tenido cautiva en una fortaleza abandonada, exigiéndole que abdicara si quería volver a ver con vida a su hermana.

Aunque el rey Thierry, al mando de una unidad de operaciones secretas, había conseguido rescatarla, los secuestradores habían logrado escapar sin que pudieran identificarlos. Ese pensamiento reavivó su ira y empezó a correr más deprisa. Oyó a sus escoltas gruñir al unísono en señal de protesta detrás de él, y no pudo evitar sonreír.

La cuestión era, pensó volviendo a sus pensamientos, que los tejemanejes políticos de sus enemigos le habían causado un nuevo problema. Casarse o perder el trono… La sola idea era tan anticuada que resultaba ridículo. Claro que quería casarse, y hacía años había estado a punto de comprometerse con su novia de la universidad, Elsa, pero cuando le había propuesto matrimonio, ella se había echado atrás. Le había dicho que no soportaba estar siempre en el punto de mira de los medios cuando lo acompañaba a algún acto de Estado.

Sin embargo, ahora, al echar la vista atrás, se daba cuenta de que tal vez simplemente no lo había amado como él a ella y, de ser así, tal vez fuera lo mejor que su relación no hubiera seguido adelante.

Lo cual lo llevaba de nuevo al aprieto en el que se encontraba. Dentro de un año cumpliría los treinta y cinco y, según una antigua ley, rescatada del olvido en el parlamento por sus oponentes, solo podría permanecer en el trono si para entonces se había casado y engendrado un heredero. Si no, sería destituido, lo cual supondría una oportunidad para el advenedizo que pretendía la Corona.

Si supiera que sería un monarca justo, volcado con su pueblo y el progreso de Erminia, él estaría dispuesto a renunciar al trono voluntariamente, pero con el secuestro de Mila había quedado muy claro que no era un buen hombre.

No, tenía un deber para con su gente, y por eso defendería su derecho al trono. Y si para eso tenía que casarse con una perfecta desconocida a quien probablemente jamás llegaría a amar, lo haría.

Con ese propósito había pedido a sus consejeros que preparasen un informe con las princesas casaderas aptas para asumir el papel de consorte. Tras descartar a varias de ellas la lista había quedado reducida a tres.

Bajó el ritmo y caminó por el camino de grava que conducía al castillo, jadeante y con los brazos en jarras. Esa noche estudiaría con más detenimiento los perfiles de esas tres candidatas para ver si alguna de ellas despertaba un mínimo de interés en él, se dijo, alzando la vista hacia la fachada de piedra.

La señorita Romolo estaba mirando por una de las ventanas del piso superior, pero en cuanto sus ojos se encontraron se apartó del cristal. A pesar de los kilómetros que había corrido y de que debería estar agotado, se sentía despejado, con fuerzas renovadas y ansioso por cenar con ella. Esa noche disfrutaría de la belleza y el encanto de la joven cortesana; tiempo de sobra habría al día siguiente para ocuparse de todos esos problemas que se le venían encima.

Capítulo Tres

Ottavia despegó los ojos del rey Rocco, la viva imagen de la fuerza viril, de pie frente al castillo. La mano le temblaba cuando soltó la cortina y se apartó de la ventana del dormitorio en el que la habían instalado. ¿Cómo podía ser que le resultase aún más atractivo vestido con ropa deportiva que con traje?, se preguntó con un suspiro. No estaba acostumbrada a esa sensación de mariposas en el estómago. Jamás hasta entonces se había sentido tan atraída por ningún hombre.

La mayoría de la gente daba por hecho que una cortesana no era más que una mujer que alquilaba su cuerpo, una mujer lasciva que disfrutaba con el sexo, pero ese no era su caso. Aunque sabía que muchos de sus clientes se sentían atraídos por ella, jamás se acostaba con ninguno; tenía reglas muy estrictas al respecto. Nunca aceptaba un cliente sin asegurarse de que le habían quedado claras. Y cuando alguno no estaba de acuerdo, sencillamente se negaba a trabajar para él.

Solo aquellos que aceptaban sus condiciones disfrutaban de su compañía y su experiencia durante el tiempo que durase el contrato. Los escuchaba después de un arduo día de trabajo, los consolaba cuando estaban tristes, y ejercía, si así lo deseaban, como anfitriona en sus fiestas con la mayor discreción. Pero jamás se convertía en su amante, por mucho que se ofrecieran a pagarle.

Y la verdad era que nunca se había sentido tentada de aceptar, sobre todo porque tenía por norma no aceptar como clientes a hombres que le pareciesen atractivos. Las cosas eran más fáciles, más asépticas, cuando no permitía que se difuminase la línea entre trabajo y placer.

Además, siempre estaba el recordatorio de que solo estaba de paso en la vida de sus clientes. Su misión era entretener, acompañar, servir de paño de lágrimas... pero únicamente de forma temporal. Con ningún cliente se había sentido así, nerviosa como una adolescente que se sentía atraída por un chico por primera vez.

Un par de golpes en la puerta la hicieron dar un respingo. Se esforzó por calmarse, y vio irritada cómo entraba Sonja Novak, sin esperar a que le diese permiso para hacerlo. Iba acompañada de un sirviente, y un profundo alivio invadió a Ottavia cuando se vio que portaba el móvil y el portátil que le habían requisado. Por fin volvería a tener acceso al mundo exterior...

–Sus cosas –dijo Sonja con frialdad mientras le indicaba al criado con un gesto que las dejara en el escritorio–. Su majestad ha dado órdenes de que se le permita hacer uso de la conexión wifi y de la impresora que hay en esta planta. Ya le han configurado el acceso a Internet con la clave, y en el estudio que hay al fondo del pasillo encontrará la impresora.

Ottavia se mordió la lengua para no decir «¡ya era hora!», y le dio las gracias.

–Espero sinceramente que su majestad no esté cometiendo un error al depositar su confianza en usted –dijo Sonja mientras el sirviente abandonaba la sala.

–¿Un error? ¿Por qué habría de ser un error?

–No es la clase de persona a la que yo consideraría de fiar, siempre vendiéndose al mejor postor. ¿Cómo quiere que no nos preocupe que pueda abusar de… la situación?

Sus palabras hicieron saltar una chispa de indignación en Ottavia, pero se mordió la lengua. No quería dejarle entrever a aquella mujer lo insultada que se había sentido por su comentario. ¿Y no habría sido esa precisamente su intención?, ¿hacerle daño?

Se enfrentó a su hosca mirada con una sonrisa forzada y le dijo:

–¿Podría dejarme a solas para que tenga un poco de privacidad?

Y, sin esperar su respuesta, como había hecho hacía unas horas, le dio la espalda. Sabía que se la estaba jugando, y que en una batalla uno jamás debía darle la espalda a su enemigo, pero no tenía el menor deseo de continuar con aquella conversación.

–Tal vez crea que ahora ya no es una prisionera tiene la sartén por el mango, pero se equivoca –le dijo Sonja de repente–. No juegue conmigo o lo lamentará. Y más le vale que, bajo ninguna circunstancia, traicione la confianza que el rey ha puesto en usted.

Ottavia solo se permitió relajarse cuando por fin oyó la puerta cerrarse. Fue a por su móvil, segura de que tendría varios mensajes, pero cuando fue a encenderlo se encontró con que la pantalla no se encendía. Genial, se había quedado sin batería.

Sacó de su maleta el cargador, lo enchufó al teléfono y a la corriente, y se le cayó el alma a los pies al ver cuántos mensajes tenía en el buzón de voz. Los escuchó todos con el corazón encogido, y para cuando el último terminó tenía las mejillas húmedas por las lágrimas. Suspiró y dejó el móvil en la mesa con una mano temblorosa. ¿Debería llamar a Adriana? Quizá no fuera buen momento. Adriana se quedaría muy agitada y le daría mucho trabajo a su cuidadora esa noche. No, sería mejor esperar a la mañana siguiente.

Enchufó el portátil, y mientras lo encendía se preguntó si habrían examinado sus archivos durante el tiempo que lo habían tenido confiscado. Seguro que sí. Y seguro que el móvil también. No tenía nada que ocultar, pero la enfurecía que la hubiesen retenido sin que ella hubiera hecho nada.

Pero si seguía allí era por su propia voluntad, porque ella lo había decidido, y tenía un trabajo que hacer. Una sonrisa perversa curvó sus labios mientras comenzaba a modificar la plantilla de su contrato tipo. Cuando hubo terminado, seleccionó «imprimir» en el menú desplegable y salió al pasillo, en busca de la sala que le había mencionado Sonja.

Si el rey Rocco no aceptaba las condiciones del contrato, volvería a casa. Esperaba que no las aceptara, y así poder escapar de la incómoda e irresistible atracción que sentía por él, pero para sus adentros sentía curiosidad por saber hasta dónde podría llevarlos esa atracción.

Cuando entró en la sala al final del pasillo, la impresora estaba imprimiendo las últimas páginas. Esperó a que acabara, ordenó las dos copias y grapó las hojas con una grapadora que había sobre el escritorio. Repasó el contrato, y regresó a su habitación.

Todavía era temprano, y tenía tiempo de sobra hasta su cita con el rey a las nueve y media, pensó, preguntándose qué debería ponerse. ¿Qué había dicho él?, ¿que no se molestara en vestirse para la ocasión? Una sonrisa traviesa acudió a sus labios. Sabía lo que esperaba de ella, y sería eso exactamente lo que le daría. Al fin y al cabo, ¿no era lo que se le daba mejor?, ¿dar a los hombres lo que querían?

Ese pensamiento le dejó un regusto amargo. Sí, les daba lo que querían, pero siempre, siempre, era ella quien ponía las reglas. Y pronto el rey descubriría que había que tener cuidado con lo que se deseaba, porque a veces acababa uno recibiendo lo que no quería.

Al oír que llamaban a su puerta, Rocco se dio la vuelta. Las nueve y media; muy puntual.

–¡Adelante!

Un cosquilleo de expectación lo recorrió cuando la puerta se abrió, pero se llevó un chasco al ver a Ottavia parada en el umbral. No llevaba un vestido vaporoso y sensual, ni el cabello cayéndole sobre los hombros, ni maquillaje que acentuase sus fascinantes ojos grises verdosos o sus pómulos. Ni siquiera se había pintado los labios.

A medida que se disipaba su asombro, empezó a verle el lado cómico. De modo que se había tomado literalmente sus palabras y no se había vestido para la ocasión. Aquello desde luego era lo último que se hubiera esperado: verla aparecer con una camiseta, unos pantalones de yoga y unas viejas zapatillas de deporte. Por no hablar de la coleta que se había hecho, tan tirante que con solo mirarla le estaba dando dolor de cabeza.

Y, sin embargo, no había conseguido disminuir ni un ápice de su belleza natural, y la camiseta, que le quedaba grande, se le había resbalado de un lado, dejando al descubierto la deliciosa curva del hombro.

—Majestad —lo saludó, haciendo una reverencia.

A pesar de su atuendo, aquel movimiento resultó grácil y sensual.

—Señorita Romolo, haga el favor de no seguir fingiendo que me respeta, o que respeta lo que represento.

Ella se irguió y alzó la barbilla.

—Por supuesto que respeto lo que representáis, mi señor.

Aquella omisión deliberada le dejó claro que no le respetaba, y Rocco recogió el guante y apuntó:

—Pero no a mí.

—A mi entender, el respeto es algo que uno se gana. En lo personal, dejando a un lado vuestra posición como rey, apenas os conozco, y si me permitís que os sea completamente sincera, hasta el día de hoy no puedo decir que vuestro comportamiento hacia mí me haya dejado una impresión muy positiva.

Parecía que no tenía miedo a meterse en la boca del lobo. Tenía que admitir que admiraba su valor.

—Siempre hago lo mejor para mi pueblo, aunque puede que no sea siempre lo mejor para todo el mundo —respondió él—. Y ahora, basta de charla; vamos a cenar.

Ella miró a su alrededor, como esperando que apareciera algún criado para servirles, y al ver que no había nadie más, le dirigió una mirada interrogante.

—Aquí, en mis aposentos personales, prefiero tener

privacidad –le explicó Rocco–. Los miembros del servicio solo entran para ocuparse de la limpieza y otras tareas. La cena la he preparado yo.

–¿Queréis decir que… cocináis? –inquirió atónita.

Rocco sonrió. Parecía que por una vez era él quien la había sorprendido.

–Cocinar me relaja. No es algo que haga muy a menudo.

–¿Y necesitabais relajaros?

–Pues sí; las últimas semanas han sido bastante intensas.

Ottavia asintió.

–Debió ser aterrador para vos que secuestraran a vuestra hermana.

–¿Cómo se ha enterado? Creía que…

–Sí, en el tiempo que llevo aquí no se me ha permitido ver la televisión ni leer los periódicos –lo interrumpió ella–, pero, aunque los miembros de vuestro servicio os son muy leales, también parecen tenerle mucho cariño a vuestra hermana. O al menos eso es lo que me pareció al oírles hablar del asunto y, claro, no pude evitar preguntarles de qué hablaban.

–Es evidente que habrá que recordarles la cláusula de confidencialidad que figura en sus contratos en los asuntos que conciernen a la Casa Real –dijo él torciendo el gesto.

–Por cierto, hablando de contratos…

–Ahora no –la cortó Rocco–. Deje eso aquí –dijo señalando con la cabeza el portafolios que ella llevaba bajo el brazo–; primero la comida. Venga conmigo.

Cruzó el salón y atravesó el arco que daba paso a la pequeña pero bien amueblada cocina, donde había preparado pasta con marisco y salsa marinara, su plato preferido. Volcó la pasta en una fuente y salió con ella a un balcón que se asomaba a los jardines y a los estanques con peces. De día, aunque sus aposentos estaban en el tercer piso, al asomarse podía vislumbrar desde allí a las carpas doradas nadando entre los nenúfares. En ese momento, sin embargo, con el sol poniéndose ya sobre el horizonte, los jardines se habían tornado en un tapiz de sombras.

Dejó la fuente sobre la mesa, que ya tenía preparada, sacó la botella de vino espumoso de la cubitera y lo descorchó.

—Siéntese —le dijo a la señorita Romolo, señalándole la silla al otro lado de la mesa.

—Gracias.

Ella permaneció en silencio mientras servía la pasta, un detalle que lo sorprendió y agradó. Le gustaba la gente que no sentía la necesidad de llenar el silencio con una cháchara vacía e interminable.

—Buen provecho —dijo levantando su copa.

Brindaron y, cuando ella cerró los ojos tras el primer sorbo y suspiró, Rocco tuvo que contenerse para no gruñir de pura frustración. Nunca hubiera pensado que un suspiro podría resultar tan sensual. Ella abrió los ojos, y al pillarlo mirándola sus pupilas se dilataron. De un modo claramente intencional tomó otro sorbo, se lamió los labios con la punta de la lengua y dejó la copa en la mesa.

—Delicioso —murmuró.

—Es de mis viñedos —explicó él, intentando que pareciera que su coqueteo no le afectaba.

Estando con ella se sentía más joven, sentía deseos

de hacer locuras, de experimentar sensaciones que durante demasiado tiempo había estado refrenando.

—¿Esta mezcla es vuestra?

—No, de mi viticultor.

—Pero sí habéis hecho vuestras propias mezclas, ¿verdad?

¿Acaso había estado investigando acerca de él? Aunque lo hubiera hecho, no podía imaginar cómo había podido averiguar aquello.

—Sí. Es algo que muy poca gente sabe.

—Pero es algo con lo que disfrutáis mucho, ¿no? —insistió ella.

—¿Cómo lo sabe?

La sonrisa de Ottavia hizo que una sensación cálida lo invadiera.

—Por el tono de vuestra voz, por la mirada en vuestros ojos… Sois como un libro abierto, mi señor.

Rocco torció el gesto.

—Entonces tendré que esforzarme por ser menos transparente. No me gusta la idea de que cualquiera pueda saber qué estoy pensando o cuáles son mis sentimientos.

—No, claro. Eso podría daros muchos problemas.

Lo había dicho muy seria, pero él captó enseguida el tono humorístico en su voz. Estaba pinchándolo de un modo amable, invitándolo a reírse de sí mismo para ayudarlo a relajarse. Estaba empezando a comprender por qué estaba tan cotizada. Sabía escuchar, observar… y sabía cómo entretener a un hombre y arrancarle una sonrisa.

De pronto lamentó haberle dicho que dejara el contrato para luego. Estaba impaciente por firmarlo para poder explorar la atracción que sentía por ella. ¿La atracción que sentía por ella? ¡Qué narices!, lo que quería hacer era explorarla a ella, cada centímetro de su cuerpo. Quería enredar los dedos en su pelo, apretarse contra sus curvas, saciar sus ansias de ella...

La observó embelesado mientras probaba el primer bocado de pasta, y de pronto una idea empezó a tomar forma en su mente. Para ser un buen monarca debía ser un hombre equilibrado, y su vida sentimental había sido bastante deficiente desde que había acabado su relación con Elsa. Había estado con otras mujeres, pero siempre habían sido encuentros de una noche. No tenía a nadie con quien desahogarse después de un día duro, a nadie con quien compartir sus sueños y sus esperanzas. Y sabía que no podría tener eso con una mujer a la que iba a contratar como cortesana, pero tal vez podrían introducirse algunas modificaciones en el contrato; quizá pudiese conseguir lo que siempre había ansiado.

—Esto está riquísimo —dijo Ottavia, interrumpiendo sus pensamientos.

Él la observó mientras pinchaba una gamba con el tenedor y enrollaba en él otros pocos de espaguetis.

—Parece sorprendida —comentó.

—¿Cómo no voy a estarlo? Un rey que cocina, y cocina bien...

La cocina era para él una vía de escape, aunque era algo que hacía con menos frecuencia de la que le gustaría. Igual que todas las otras cosas que le daban placer.

—¿Cocina usted? —le preguntó.

—Un poco.

–Tal vez podría preparar usted otro día la cena.

–Tal vez –asintió ella, inclinando la cabeza.

Y de inmediato sus ojos se vieron atraídos hacia su grácil cuello, que la coleta dejaba al descubierto. Se moría por acariciarla, justo bajo el lóbulo de la oreja, para ver si el roce de sus dedos la hacía estremecer. Era una suerte que fuera un hombre capaz de mantener bajo control sus impulsos, aunque por una vez, por una sola vez, estaría bien poder dejarse llevar por ellos. Y quizá lo hiciera cuando hubiesen firmado ese condenado contrato.

Capítulo Cuatro

Ottavia observó al rey Rocco con discreción mientras terminaban de cenar, preguntándose cómo reaccionaría al leer las condiciones del contrato. Una parte de ella seguía rogando para que se negara a firmarlo y pudiera marcharse, pero otra, la mujer de negocios que lo veía como un potencial cliente con el que podría ganar mucho dinero, esperaba que aceptase sus condiciones, o al menos que tratase de renegociarlas. La idea de pasar tiempo con él sin unos parámetros claramente delimitados la ponía nerviosa. Dejó el tenedor en el plato y, cuando se movió incómoda en su asiento, él se dio cuenta enseguida de su inquietud.

–¿Ocurre algo? –le preguntó.

–Es que… –Ottavia vaciló, y sopesó con cuidado sus palabras antes de decidir que no tenía nada que perder excepto el dinero que el rey pudiera pagarle–. Me siento como si me hubiera metido en un terreno de arenas movedizas, la verdad. Todo esto es… bueno, algo a lo que no estoy acostumbrada.

–¿Como cenar con un rey?

–Esa es una parte, sí.

–Pues no tiene por qué sentirse incómoda; solo soy un hombre, como los demás.

Ella se rio suavemente.

–¿De verdad creéis eso?

–Está bien, sí, soy rey, pero es lo que soy, no quien soy.

Sus palabras le dieron que pensar, y le hicieron preguntarse cuánta gente lo conocería de verdad. ¿Habría siquiera alguien que lo conociera de verdad?

–A mí no me importa quién seáis –le dijo ella, aunque no era cierto–. Excepto, tal vez, como cliente. Lo que me lleva a nuestro contrato. Ahora que ya hemos cenado, quizá podríamos hablar de negocios.

–Si insiste…

El rey se limpió con la servilleta antes de dejarla en la mesa, se levantó, y fue a retirarle la silla para ayudarla a levantarse.

–Gracias –murmuró Ottavia.

–Vuelva dentro y siéntese; yo llevaré el vino.

–¿El vino?

–Las negociaciones siempre se llevan mejor con una copa, ¿no cree?

Estaba sonriéndole, pero la sonrisa no se reflejaba en sus ojos.

–¿Y quién ha dicho que estaré dispuesta a negociar nada? –le espetó ella, antes de entrar.

El rey la siguió poco después, con la botella y las dos copas, que dejó sobre la mesita, entre los dos sofás.

–Yo siempre negocio –le advirtió mientras se sentaban, el uno frente al otro.

–¿Lo negociáis todo, majestad? –inquirió ella con una ceja enarcada, antes de alcanzar su portafolios.

–Ahí me ha pillado –dijo sirviendo más vino en las dos copas–. Tiene razón, no todo: cuando la situación lo requiere no negocio, sino que decreto –añadió tomando una de las copas.

Con el estómago atenazado por los nervios y manos temblorosas, abrió el portafolios y sacó las dos copias del contrato.

—Mis servicios se estipulan en la última página —dijo tendiéndole una.

Él se inclinó hacia delante para tomar el contrato y cuando sus dedos se rozaron el cosquilleo que la recorrió hizo que temblaran los papeles. Él entornó los ojos, y se quedó mirándola un buen rato antes de echarse hacia atrás, cruzar una pierna sobre la otra y tomar un sorbo de vino.

—Parece nerviosa —observó—. ¿Por qué?

Tenía que sobreponerse, se dijo Ottavia. Sí, había una fuerte tensión sexual entre ellos, pero lo que tenía que hacer era reconocerlo y pasar página.

—Bueno, no todos los días hago negocios con un miembro de la realeza, y menos con el mismísimo rey.

—Pero ha tenido usted a muchos clientes influyentes, ¿no?

—No hablo de mis anteriores clientes; jamás.

—Encomiable. Imagino que su discreción es vital para su éxito y para que esos mismos clientes sigan requiriendo de sus servicios.

—Así es. Y ahora, si quisierais leer el contrato y firmarlo para que pueda empezar mi trabajo…

—Por supuesto; estoy deseando.

Ottavia se obligó a relajarse y tomar un sorbo de vino mientras él empezaba a pasar las hojas del contrato, leyendo con el ceño fruncido cada cláusula. Cuando ya no pudo más, se levantó y se puso a pasearse por el salón, mirando con curiosidad los objetos que adornaban las estanterías. A juzgar por las fotografías, tanto formales como informales, parecía que la familia era muy importante para él. Se fijó en los libros; había varias novelas policíacas, libros de política y también de temas sociales.

La sorprendía que hubiese escogido para su «reunión» de negocios aquella sala que decía tanto de él, sobre todo teniendo en cuenta la complicada situación por la que estaba pasando. Sabía que el parlamento estaba dividido, y había oído los rumores que decían que había quienes no lo querían como rey. En esas circunstancias, no le quedaba otra más que mantener una imagen lo más impoluta posible, lo cual la llevaba a preguntarse por qué quería contratar sus servicios, con lo que la gente podría pensar.

Dio un respingo cuando lo oyó plantar los papeles en la mesita, y cuando se volvió lo vio levantarse abruptamente.

—De modo que este es el contrato que ha redactado…

A pesar de su tono, aparentemente calmado, Ottavia advirtió la ira controlada en sus palabras. El contrato no era lo que había esperado. Lejos de disculparse, asintió con la cabeza.

—Pues aquí falta algo —dijo el rey.

—No lo creo; es mi contrato estándar.

Él resopló, como si lo dudara, aunque al menos no la había llamado mentirosa a la cara.

—¿Y qué hay de los asuntos íntimos? —inquirió él.

Vaya… No se andaba por las ramas.

—¿Íntimos, mi señor? Si lo que le preocupa a su majestad es que nuestras conversaciones y el tiempo que pasemos a solas puedan comprometer su imagen, puede quedarse tranquilo: todo eso quedará entre nosotros.

–No juegue conmigo –gruñó él, avanzando hacia ella con ojos relampagueantes.

Ottavia reprimió el impulso de retroceder, y le respondió con la mayor calma posible:

–No se trata de ningún juego, aunque si queréis podemos incluir algún que otro juego como parte de la cláusula 6.2. No se me da mal el tenis, y he ganado una o dos manos de póquer.

El rey la agarró por los hombros.

–No estoy hablando de eso y lo sabe.

Esforzándose por parecer calmada, aunque su respiración se había tornado entrecortada y tenía el corazón desbocado, Ottavia respondió:

–Pues me temo que no sé a qué os referís.

El rey Rocco inclinó la cabeza y, mirándola a los ojos, contestó:

–Me refiero al sexo, señorita Romolo: ardiente, apasionado, indescriptible…

Ottavia sintió una ráfaga de calor aflorar en su vientre, y trabó las rodillas con la esperanza de que dejaran de temblarle las piernas.

–Me… me temo que eso no está en el contrato. De hecho, imagino que su majestad habrá leído la cláusula en la se menciona explícitamente que no mantendremos relaciones sexuales.

–Un error, supongo –dijo él–. Sobre todo cuando es evidente que su cuerpo está hecho para el placer.

Su rostro estaba apenas a unos centímetros del de ella, y cuando se inclinó un poco más hacia su cuello, como para inspirar el aroma de su perfume, Ottavia no pudo evitar estremecerse. No, tenía que ser·fuerte, tenía que demostrarle que era ella quien ponía las reglas. Tenía que mantenerse firme. Debía hacerlo por Adriana.

—No habrá sexo —reiteró con labios temblorosos—. Nunca mantengo relaciones con mis clientes.

Se tambaleó cuando él la soltó abruptamente.

—¿Cómo que «nunca»? Es una cortesana, ¿no? Los hombres contratan a las mujeres como usted por una razón…

Ottavia inspiró profundamente y alzó la barbilla.

—Como habrá visto en el currículum que adjunto con el contrato, tengo doble titulación en Economía y Humanidades —le dijo—. Estoy versada en protocolo y puedo tratar asuntos financieros, conversar sobre arte, literatura, filosofía, hacer de anfitriona en las fiestas de mis clientes y atender a sus invitados… Proporciono compañía, consuelo, humor… y doy excelentes masajes de pies —hizo una pausa y apretó los labios—. Pero el sexo no entra en mis servicios.

—¿Me está diciendo de verdad que no ha tenido relaciones sexuales con ninguno de sus clientes?

—Sí, eso he dicho.

—Y esos hombres… sus anteriores clientes… ¿estuvieron de acuerdo con esa cláusula? —inquirió él con el ceño fruncido.

—Así es.

—Me cuesta muchísimo creerlo.

Su exasperación era tan cómica que, aunque Ottavia intentó reprimir la sonrisa que se empeñaba en asomar a sus labios, no fue capaz.

–¿Qué le hace tanta gracia? ¿Me está tomando el pelo? –exigió saber el rey, en un tono imperioso.

–No, por supuesto que no. Sí que ha habido hombres que requerían que el sexo fuera parte del contrato, pero mi respuesta siempre ha sido «no». O aceptaban mis condiciones o me negaba a trabajar para ellos, majestad.

Él resopló, irritado.

–Basta ya de formalidades. Cuando estemos a solas nos tutearemos. ¿Entendido?

–Es que… os veo reacio a firmar el contrato. Y, si no lo hacéis, no veo por qué habría de quedarme aquí ni un minuto más, y no habrá motivo para que estemos a solas.

–Estaremos a solas porque voy a aceptar sus condiciones, señorita Romolo.

–¿De… de verdad?

–Sí, pero con una condición.

Un mal presentimiento asaltó a Ottavia.

–¿Cuál?

–Que el contrato quede abierto a, digamos, posibles modificaciones, siempre y cuando los dos estemos de acuerdo.

Parecía razonable, pensó ella. No sabía en qué posibles modificaciones podía estar pensando, y eso la hacía recelar, pero había dicho que los dos debían estar de acuerdo, y ella no iba a cambiar su postura con respecto al sexo. No se dejaría coaccionar, ni dejaría que ningún hombre volviera a forzarla.

–Bien –respondió con firmeza. Se acercó a recoger la copia del contrato de la mesita–. Haré los cambios pertinentes y volveré a imprimirlo mañana por la mañana.

–No –el rey Rocco fue junto a ella y le quitó el contrato de la mano–. ¿Tiene un bolígrafo?

Ella asintió y fue a por el portafolios, donde siempre guardaba uno. Se lo tendió en silencio, junto con la otra copia del contrato.

El rey lo tomó y, mirándola fijamente, le dijo:

–Añadiremos esa cláusula al contrato aquí y ahora.

Volvió a sentarse y fue pasando las páginas del contrato, deteniéndose para poner sus iniciales en cada una antes de llegar a la última, donde añadió un párrafo estipulando su condición. Luego estampó su firma y repitió el proceso con la otra copia.

Cuando hubo terminado se levantó, le devolvió el bolígrafo y le ofreció su asiento. Ottavia tenía el contrato delante y el bolígrafo en la mano, pero le era imposible concentrarse cuando bajo sus nalgas podía sentir el calor que había dejado el rey en el asiento.

–¿Señorita Romolo?, ¿algún problema? –inquirió él a su lado.

Ella se apresuró a negar con la cabeza y puso sus iniciales en cada página, junto a las de él, antes de repasar la cláusula que él acababa de añadir. Parecía inocua, y dejaba claro que para realizar cualquier modificación en cuanto a «relaciones íntimas u otros servicios», ambas partes debían estar de acuerdo, y que habría de hacerse por escrito. Alzó la vista hacia él.

–¿Otros servicios? ¿Qué servicios?

El rey se encogió de hombros.

–No lo sé; ya lo hablaremos si se me ocurre algún otro que no esté contemplado en el contrato.

Aunque tenía la impresión de que estaba ocultándole algo, Ottavia bajó la vista y volvió a leer el añadido.

Sí, de cualquier modo ella tenía que dar su consentimiento antes de ninguna modificación, se repitió. Apartó las dudas de su mente y rubricó también la última página. «Ya está». No había vuelta atrás.

Capítulo Cinco

Cuando hubo terminado de firmar, Ottavia guardó la copia del contrato en la carpeta y se levantó.

–Puedo empezar mañana –le dijo tendiéndole la mano para dar por finalizada la reunión.

Pero Rocco no se la estrechó, sino que sus labios se curvaron lentamente en una sonrisa, y respondió:

–Puedes empezar ahora mismo –le quitó de la mano la carpeta y la arrojó al sofá del que ella acababa de levantarse–. Y preferiría sellar nuestro acuerdo con un beso; ¿tú no?

–Pe-pero el contrato dice que…

–No dice nada sobre besos –la interrumpió él.

Ottavia quería protestar, pero no le salían las palabras. Y, en el momento en que él la atrajo hacia sí e inclinó la cabeza para besarla, comprendió que le había tendido una trampa en la que había caído como una ingenua.

Los labios de Rocco eran firmes y cálidos, y cuando le mordió suavemente el labio inferior y lo lamió con la punta de la lengua, fue incapaz de resistirse y abrió la boca para dejar que hiciera el beso más profundo. Subió las manos a su pecho, pero en vez de apartarlo se aferró con los dedos a la camisa y se apretó aún más contra él.

Aquello era una locura… No hacía esas cosas con

sus clientes; se había jurado que jamás lo haría... ¿Es que era lo que su madre había dicho que era años atrás? Aquel recuerdo le desgarró el alma, y despegó sus labios de los de Rocco, jadeante y con el corazón martilleándole en el pecho.

–Por favor –le suplicó a Rocco–, dejadme marchar...

Él la soltó al instante.

–¿Ottavia?

–Da-dame un momento para recobrar el aliento.

–¿Qué ocurre? ¿Estás bien? Creía que tú también lo deseabas, que...

–Os he dicho que el sexo no entraba en el contrato –lo interrumpió ella, esforzándose por retomar el control de la situación.

–Solo ha sido un beso –dijo él quedamente.

¿Solo un beso?

–No entraba en lo que habíamos acordado –insistió ella.

–En ninguna cláusula del contrato se especifica que no podamos besarnos.

–No le deis la vuelta a las cosas, majestad –lo increpó ella, profundamente irritada, aunque más consigo misma que con él.

–Habíamos quedado en que nos dejaríamos de formalismos, ¿recuerdas? Puedes llamarme por mi nombre.

–Muy bien, Rocco, pues ahora que ya hemos llegado a un acuerdo y firmado el contrato, gracias por la cena. Me voy a dormir.

–No irás a ninguna parte.

Ottavia, exasperada, se contuvo para no apretar los puños.

41

–¿Por qué no?

–Porque di órdenes de que, mientras cenábamos, trasladaran tus cosas aquí, a mis aposentos. Por el espacio de tiempo que dure nuestro contrato, te alojarás aquí, conmigo.

A Ottavia el estómago le dio un vuelco.

–¿Has hecho que trasladen mis cosas? ¿Antes siquiera de que firmáramos el contrato? ¿Antes de saber cuáles eran mis condiciones? Es lo más presuntuoso que…

–Sí, tal vez haya sido presuntuoso por mi parte, pero siempre consigo lo que quiero.

–Pues esta vez no lo vas a conseguir. Esto no entra en…

–¿En el contrato? En realidad sí. Hay una cláusula en la que indicas que una de mis obligaciones contractuales es proporcionarte alojamiento gratuito mientras estés aquí.

–Sí, pero no tenía ninguna queja de la habitación en la que he estado hasta ahora.

–Y yo considero que esa habitación no está a la altura de lo que quiero para mi cortesana.

Sus dos últimas palabras sonaron tan posesivas que una cierta desazón invadió a Ottavia.

–¿Y qué mejor sitio para alojarte que en mis aposentos privados? –insistió Rocco, extendiendo los brazos.

Ottavia dejó caer los hombros, derrotada.

–Está bien. Dime cuál será mi habitación, por favor. Estoy cansada y me gustaría irme a la cama.

–Vamos, Ottavia, ¿por qué tan alicaída? No es tan malo. Venga, acompáñame –le dijo Rocco, indicándole con un ademán que lo siguiera.

A Ottavia le sorprendieron cuántas salas y habitaciones comprendían sus aposentos privados. No solo estaban la cocina y el salón que ya había visto, sino también un comedor, y hasta un gimnasio muy bien equipado. Rocco la condujo por una galería cuyos ventanales se asomaban a los jardines, se detuvo a medio camino y abrió la puerta de un inmenso dormitorio. Ottavia no pudo reprimir un gemido de admiración.

–¿Es aquí donde voy a dormir? Es una habitación preciosa… –murmuró cruzando el umbral.

–Encontrarás tu ropa en ese vestidor –le dijo Rocco señalándole una puerta en el lado derecho–. Y tus cosas de aseo ya deberían estar en el cuarto de baño.

–Vaya, tienes un personal muy eficiente –comentó Ottavia al abrir el vestidor y ver su ropa colgada en perchas.

Y no solo eso, también habían guardado en los cajones su ropa interior y sus camisones…

–Bueno, te dejo para que te acomodes –dijo Rocco–. Hay algunos asuntos de los que debo ocuparme.

Ottavia suspiró aliviada cuando se quedó a solas. Estar con aquel hombre era agotador. Esperaba descansar bien esa noche, porque al día siguiente –y al otro, y al otro…–, tendría que estar bien alerta.

Cuando entró en su despacho, Rocco se paró en seco. Sonja estaba de pie junto a la ventana. Al oírlo entrar se volvió. Su expresión agria evidenciaba su desaprobación.

–Sonja… Es tarde; no esperaba encontrarte aquí –dijo, cerrando tras de sí.

–He oído que has instalado a esa mujer en tus aposentos –comentó Sonja, sin andarse por las ramas.

–Así es –respondió Rocco, desafiándola a que lo criticara.

Sonja apretó los labios, y solo le faltó poner los ojos en blanco. Señaló una carpeta sobre su escritorio.

–Te he traído el informe actualizado de posibles novias.

–¿Actualizado? ¿Otra vez?

–Una de las tres candidatas ha expresado su deseo de convertirse en monja carmelita, lo que te deja solo dos princesas entre las que escoger –respondió Sonja.

Rocco reprimió el impulso de poner los ojos en blanco.

–Lo miraré por la mañana.

–¿Tienes prisa por volver con tu cortesana?

Se negaba a tener de nuevo esa conversación con ella.

–Creo que no es asunto de nadie con quién pase mi tiempo libre –respondió malhumorado, y agarró la carpeta.

A pesar de que había dicho que lo miraría al día siguiente, la abrió, sacó las fotos de las dos princesas y las escrutó en silencio. La verdad era que una fotografía no decía demasiado de una persona, se dijo sacudiendo la cabeza.

–¿Ya las estás rechazando?, ¿sin siquiera haberlas conocido? –lo increpó Sonja.

–No, solo estaba pensando –Rocco volvió a meter las fotografías en la carpeta y la cerró–. Ocúpate de que las dos sean invitadas a visitarme aquí. No puedo escoger a la mujer con la que compartiré mi vida basándome en una fotografía y un escueto informe.

–¿Acaso importa a cuál de ellas escojas? Cualquiera de ellas podría darte un hijo.

El tono de Sonja no le gustó.

–¿A eso crees que se reduce todo? –la increpó frunciendo el ceño–. ¿A proporcionar un heredero a la Casa Real?

–¿No es ese el objetivo de que te cases? Siento tener que recordarte las cuestiones prácticas, pero se te está acabando el tiempo –dijo ella–. ¿Me dejas que sea franca del todo contigo?

Sonja nunca antes le había pedido permiso para expresar su opinión, y si por algo se la conocía en la corte era precisamente por dar sus severas opiniones cuando nadie se las había pedido. Y si en esa ocasión consideraba que tenía que pedirle permiso antes de hablar, debía ser porque sabía que lo iba a decirle lo enfurecería.

Casi se sintió tentado de decirle que se fuera para evitar el asunto, pero ese no era su estilo. Como rey su deber era escuchar a aquellos que lo cuestionaran y lo empujaran a tomar decisiones difíciles, y Sonja siempre había hecho las dos cosas sin dudar. De hecho, el que con frecuencia llevase razón, era uno de los motivos por los que confiaba en ella. Asintió.

–Respecto a tu reticencia a casarte… –comenzó Sonja–: ¿Te has planteado la posibilidad de dejarlo estar?

–¿Qué?

–Esta búsqueda desesperada para encontrar esposa… ¿No crees que es hacer las cosas tarde y mal? Tal vez… –inspiró profundamente y lo miró a los ojos antes de continuar–. Tal vez deberías anteponer las necesidades de tu pueblo a tu deseo de seguir siendo rey. ¿No crees que para Erminia sería más beneficioso un gobierno estable que uno dividido por la cuestión sucesoria?

–¿Estás sugiriendo que abdique en favor de un desconocido que dice ser el legítimo heredero al trono? –inquirió Rocco, refrenando a duras penas su ira.

–Di, si quieres, que estoy haciendo de abogado del diablo, pero… ¿y si fuera cierto que lo es?

–No podemos saber si lo es, porque no se ha dignado a dar la cara ni a aportar pruebas que lo demuestren –le espetó Rocco.

No, aquel hombre permanecía oculto, como un cobarde, tras una nube de intrigas y subterfugios.

–¿Pero y si fuera cierto? –insistió Sonja.

–Parece como si lo apoyaras.

–Jamás se cuestionó mi lealtad a tu padre, y creo que tampoco está en cuestión mi lealtad hacia ti –le espetó ella, despechada–. Solo te estoy sugiriendo otro punto de vista. Además, puede que consigas que se anule esa ley en el parlamento, ¿no? Si así fuera no tendrías por qué casarte. En fin, si no te importa, me voy a dormir.

Él le respondió con un breve asentimiento de cabeza y la observó en silencio mientras abandonaba su despacho. ¿Por qué tenía la sensación de que no lo apoyaba de forma incondicional, como aseguraba? Aquello le preocupaba. Necesitaba saber que todos los que pertenecían a su círculo más próximo le eran leales; sobre todo alguien como Sonja, que tenía mucho poder y lo representaba en varios comités de gobierno.

Le había hervido la sangre cuando había sugerido veladamente que abdicase. Por lo que a él se refería, abdicar no era una opción. No lo habían educado para rendirse sin pelear, y su instinto le decía que tenía que pelear por permanecer en el trono: tanto por sí mismo como por su pueblo. Era el legítimo heredero y, a menos que un hombre mejor diera un paso al frente para disputarle el puesto, seguiría convencido de que era el más capacitado para llevar con mano firme el timón.

Se sentó tras su escritorio, encendió el ordenador y entró en su correo, donde encontró varios mensajes sobre asuntos que requerían su atención inmediata. Con un suspiro decidió que lo mejor era eso, centrarse en las cosas sobre las que podía hacer algo al respecto, y durante un par de horas estuvo trabajando en silencio.

Pasaba de la medianoche cuando regresó a sus aposentos. Había sido un día complicado en varios sentidos, y estaba física y mentalmente agotado. Y dentro de solo cuatro horas tendría que estar de nuevo en planta para cumplir con su apretada agenda. Pero hasta entonces, intentaría dormir un poco para recargar las pilas.

Dejó el informe en la mesita del salón y fue hasta su dormitorio. No encendió ninguna luz, sino que se fue derecho al cuarto de baño, donde se dio una ducha rápida. Luego fue de puntillas hasta la cama, donde yacía Ottavia, profundamente dormida, y se metió bajo las sábanas con una pequeña sonrisa.

Capítulo Seis

A la mañana siguiente Ottavia se despertó en la inmensa cama con la impresión de que no estaba sola, pero al mirar a su alrededor vio que en el elegante dormitorio no había nadie más. Sin embargo, aquella sensación no la abandonaba y, cuando se incorporó, de su garganta escapó un gemido ahogado. Las sábanas estaban revueltas, y en la almohada junto a la suya había una marca, como si alguien hubiese tenido apoyada la cabeza, y sobre ella había una rosa de un rosa pálido y una nota manuscrita.

La rosa desprendió una suave fragancia cuando la tomó y se la llevó a la nariz. Tomó también la nota y la leyó:

Eres tan hermosa cuando duermes como cuando estás despierta.

No estaba firmada, pero reconoció el firme trazo de Rocco por la cláusula que había añadido a mano en el contrato.

¿Había dormido allí con ella? ¿La había estado observando? Todo parecía indicar que sí. ¿Cómo podía ser que ni siquiera lo hubiera oído entrar? Sacudió la cabeza, irritada consigo misma. Había sido un error tomarse aquel somnífero antes de dormir; un error que no debía repetirse. Tenía que mantenerse alerta, y según parecía, incluso de noche.

¿Y si la obligara a tener relaciones con él? No, se dijo apartando de inmediato esa idea de su mente. No podía decir que lo conociera, pero no lo veía capaz de forzar a una mujer. No se parecía en nada a… Ni siquiera quería recordarlo.

Dejó la nota y la rosa en la mesilla de noche y se bajó de la cama. Con los ojos entornados, miró la puerta cerrada en el lado izquierdo de la habitación, exacta a la del vestidor donde el servicio había colocado su ropa. La noche anterior no se había molestado en averiguar qué había allí, pero estaba empezando a sospechar… Se acercó, y cuando la abrió se encontró con que también era un vestidor. Había un montón de trajes de caballero colgados, ordenados por color y temporada, y al abrir los cajones vio que estaban llenos de ropa interior de hombre.

Salió de allí resoplando. De modo que Rocco había hecho que se instalara en su habitación… y que durmiera en su cama. Su irritación iba en aumento. Seguro que se habría jactado de haberla engañado de aquella manera. Era evidente que lo había subestimado, pero era un error que no volvería a cometer.

Y también estaba claro que la deseaba. Lo había notado cuando la había besado el día anterior. Una ola de calor la invadió al recordar aquel beso. Hasta entonces en su trabajo nunca le había costado mantener separados el cuerpo y la mente, pero era como si con Rocco eso fuera imposible.

Aunque no podía decir que disfrutara inmensamente de su trabajo, gracias a él tenía buenos ingresos, y eso era lo importante. No por ella, sino por Adriana, porque necesitaba ese dinero para poder pagar el centro en el que estaba ingresada y donde cuidaban de ella.

Pensó en el contrato que Rocco y ella habían firmado la noche anterior. Había pedido una suma desorbitada a cambio de sus servicios con la esperanza de disuadirlo, pero él había aceptado, y gracias a ese contrato, si gestionaba bien el dinero, podría vivir el resto de su vida sin tener que volver a ejercer de cortesana nunca más. Dentro de poco cumpliría los treinta, y aunque a esa edad no podía considerarse vieja, ni mucho menos, su belleza pronto empezaría a perder la frescura de la juventud, lo que la haría menos atractiva a los ojos de posibles nuevos clientes.

Se dio una ducha rápida y se puso una camisola sin mangas, unos pantalones holgados y unas sandalias. Se dejó el pelo suelto, se maquilló y salió del dormitorio para ir en busca de Rocco, aunque no tuvo que ir muy lejos, porque se lo encontró en el pasillo, impecablemente vestido con un traje gris claro y corbata. En la mano llevaba una carpeta.

–¿Tienes hambre? –le preguntó.

–Buenos días a vos también, mi señor.

–Rocco –le recordó él–. Y no has contestado mi pregunta.

–Sí, por supuesto que tengo hambre; aún no he desayunado.

–Estupendo; acompáñame.

¿Era así como iba a tratarla durante el tiempo que estuviese allí?, ¿dándole órdenes como si fuese una foca de circo? Aunque Rocco ya había echado a andar, ella se quedó plantada donde estaba y le dijo con mucha calma:

–Por favor.

Rocco se detuvo y se volvió hacia ella.

–¿Perdón?

–Si quieres que te acompañe, tendrás que pedírmelo como es debido. Estoy segura de que alguno de tus tutores o de tus niñeras debió enseñarte la importancia de los buenos modales, aunque tus padres no lo hicieran.

Rocco enarcó una ceja.

–¿Por qué le echas la culpa a mis padres?

–Ah, ¿quieres decir que esa falta de educación es de tu cosecha? Si es así te pido disculpas; estoy segura de que tus padres eran todo un ejemplo a seguir, y que tú, sencillamente, decidiste no hacerlo.

Rocco avanzó hasta quedarse a menos de un palmo de ella.

–Soy tu rey; tu deber es obedecerme.

Ottavia suspiró.

–¿Es que vamos a discutir por todo, mi señor?

–Solo si no haces lo que se te dice –contestó él.

Tenía el ceño fruncido, pero había una nota de humor en sus ojos.

–Y me llamo Rocco –añadió–. Si eres capaz de recordarlo, tal vez yo me acuerde de decir «por favor» de cuando en cuando.

Ottavia reprimió una sonrisa.

–En ese caso, Rocco, te acompañaré encantada.

–Gracias.

Rocco la condujo hasta un ascensor privado que los llevó a la planta inferior, y salieron a una amplia terraza.

–He pedido que nos sirvan aquí el desayuno –le dijo, señalando una mesa de jardín con sillas de mimbre–. Mientras esperamos, querría pedirte opinión sobre algo.

–¿Mi opinión?

–Pareces sorprendida.

–Bueno, es que lo estoy –respondió ella mientras se sentaban–. No me pareces la clase de hombre a quien le importan las opiniones de los demás.

–Si no pidiese las opiniones de otros de vez en cuando, sería un autócrata.

–Cierto.

Una joven criada salió en ese momento con una bandeja y empezó a colocar en la mesa lo que llevaba en ella: las tazas con sus platillos, el café, la leche y un azucarero.

–Gracias, Marie, ya lo sirvo yo –le dijo Ottavia con una sonrisa.

La chica le devolvió la sonrisa.

–Enseguida le traigo unos cruasanes –le dijo.

Y, tras una pequeña reverencia al rey, se marchó.

–Sabes cómo se llama… –observó Rocco, mirando a Ottavia de un modo curioso.

–Pues claro.

–Me sorprende.

–¿Por qué? –inquirió ella mientras les servía café a ambos–. ¿Leche?

–No, y azúcar tampoco, gracias –respondió Rocco–. Bueno, no sé, no esperaba que fueras a tomarte la molestia de aprenderte los nombres de los miembros del servicio; sobre todo teniendo en cuenta que hasta ahora has sido mi prisionera.

Ottavia añadió leche y azúcar a su café, y lo removió con la cucharilla.

—Aunque sean del servicio, son personas —contestó ella—. Y ahora, cuéntame, ¿qué es lo que querías preguntarme?

Rocco le dio un par de golpecitos con el índice a la carpeta que había puesto en la mesa.

—Tengo curiosidad por saber qué piensas de estas mujeres. Parece que en toda Europa solo quedan dos princesas a las que se considera apropiadas para convertirse en mi consorte.

Ottavia sintió una inesperada punzada de celos al imaginar a otra mujer casándose con Rocco, pero la ignoró y le preguntó:

—¿Y conoces a alguna de ellas en persona?

—No, pero eso es lo de menos. Necesito encontrar esposa, y preferiblemente una que sea fértil.

—Y me imagino que también deberá tener una buena dentadura y ser dócil.

—Esto no es para tomárselo a broma; necesito una esposa y un heredero —Rocco vaciló un momento, como si estuviese sopesando cuánto debería contarle—. Hay una ley relativa a la sucesión que puede hacer que pierda la Corona.

Cuando hubo acabado de explicarle el problema, Ottavia se echó hacia atrás en su asiento y se quedó mirándolo, pensativa.

—Vaya… —murmuró.

—¿Eso es todo lo que vas a decir?

Había unas cuantas preguntas que Ottavia quería hacerle, pero contuvo su lengua cuando regresó Marie, que traía una cesta con cruasanes recién hechos, mantequilla y varios botecitos de mermelada de distintos sabores.

–Que disfruten de su desayuno –dijo, antes de hacerle una reverencia a Rocco y retirarse.

–Come antes de que se enfríen –instó Rocco a Ottavia–. Por favor.

Ella se rio.

–¿Lo ves? No es tan difícil –lo picó, haciéndole sonreír.

Ottavia seleccionó un cruasán, lo abrió por la mitad e inhaló su delicioso aroma antes de empezar a untarlo con mantequilla y mermelada.

–¿Tú no quieres? –le preguntó a Rocco, algo incómoda de repente al sentir sus ojos fijos en ella.

–No, ya he desayunado.

–Pues no sabes lo que te pierdes –contestó ella.

Y, dejando a un lado la vergüenza, le dio un buen mordisco al cruasán.

Rocco reprimió el impulso de lamerse los labios mientras observaba a Ottavia, y abrió la carpeta.

–Volviendo al asunto de mi futura esposa… Estas son las dos candidatas; me gustaría conocer tu opinión sobre ellas.

Ottavia enarcó las cejas.

–¿Mi opinión? ¿Para qué?

–Pues porque anoche glosaste todas tus cualidades como cortesana, como una mujer con una gran preparación y con criterio, y me gustaría que me ayudases a tomar una decisión.

Ottavia dejó el cruasán en el plato y tomó un sorbo de café.

–Estoy segura de que tienes un montón de asesores mucho más aptos que yo para ayudarte a elegir a tu futura esposa –le dijo, volviendo a poner la taza en su platillo.

–Sí, pero tú estás aquí, conmigo, y me interesa tu opinión –respondió Rocco, tendiéndole la carpeta.

–¿Quieres que me lo lea ahora?

–¿Qué mejor momento que este?

Un ruido de tacones hizo que Rocco alzara la vista, irritado. Había dado órdenes específicas de que no los molestaran, pero era evidente que Sonja, que se dirigía hacia ellos, no se había dado por aludida.

Al llegar a su lado paseó la mirada por la mesa, y sus ojos se detuvieron en la carpeta que él sostenía en su mano.

–Tienes una llamada urgente –le dijo a Rocco–; es el primer ministro.

Rocco puso la carpeta en la mesa y se levantó.

–Volveré enseguida, señorita Romolo –le dijo a Ottavia–. Espéreme aquí. Por favor.

–Ya que me lo pedís con tanta amabilidad, lo haré –contestó ella con una sonrisa.

Rocco no pudo evitar sonreír también, y Sonja lo miró sorprendida.

–Te has dejado la carpeta –observó mientras se alejaban, camino de su despacho.

–Lo sé.

–Esos documentos son confidenciales –insistió ella–. ¿Es que no te preocupa que esa mujer pueda leerlos?

–Espero que lo haga; es lo que le he pedido.

–¿Es que te has vuelto loco?

–No lo creo. Solo le he pedido a la señorita Romolo su opinión sobre mis posibles consortes.

–No alcanzo a imaginar por qué habría de interesarte su opinión –murmuró Sonja sacudiendo la cabeza–. De todos modos tampoco es que importe mucho. Piense lo que piense de ellas, te casarás con una de esas dos princesas; no te queda otra opción.

Rocco se paró en seco y se le cayó el alma a los pies.

–¿Que no me queda otra opción? ¿Quieres decir que...?

Sonja asintió.

–Sí, el parlamento ha votado en contra de derogar la ley de sucesión –respondió, antes de que entraran en el despacho.

Rocco miró la luz del teléfono sobre su escritorio como si fuese el ojo de una serpiente enroscada, preparándose para atacar.

–Gracias, Sonja; puedes esperar fuera.

Ella respondió con una inclinación de cabeza y salió, cerrando tras de sí. ¿Lo había imaginado, o había visto un destello triunfal en su mirada? No pudo evitar recordar lo que le había dicho la noche anterior, y se preguntó cuántos miembros más de su personal pensaban, como ella había sugerido, que debería plantearse abdicar.

Sacudió la cabeza y se sentó tras su escritorio. Ya se preocuparía por eso en otro momento; ahora tenía que contestar la llamada del primer ministro. Aunque ya sabía el resultado de la votación, era una formalidad con la que tenía que cumplir.

Cuando colgó el teléfono se echó hacia atrás y cerró los ojos. Había confiado en que el parlamento comprendería la necesidad de derogar aquella ley anacrónica, pero parecía que contaba con menos apoyos de los que pensaba.

La cuestión era que, como había dicho Sonja, no le quedaba más remedio que casarse si no quería perder la Corona. Pensó en la carpeta que había dejado a Ottavia. Sobre el papel, cualquiera de las dos princesas serviría. Siglos atrás él o sus consejeros habrían elegido a una de ellas y se habría casado con ella sin conocerla siquiera. La sola idea hizo que su mente y su cuerpo se rebelaran.

Claro que… ¿no era eso exactamente lo que él había esperado de su hermana al comprometerla con el heredero de Sylvain cuando no era más que una adolescente? Sintió vergüenza de sí mismo por haberla hecho pasar por aquello. Cuando volviera de su luna de miel le pediría disculpas, pero ahora tenía una llamada que hacer.

–¿Andrej? –dijo cuando un hombre contestó, tras el primer tono, al otro lado de la línea.

–Sí, majestad –respondió el mando supremo de las Fuerzas Armadas de Erminia.

–Quiero que redobles los esfuerzos por averiguar quién está tras este ataque a mi posición. Sea quien sea parece que ha conseguido poner en mi contra a más de la mitad del parlamento.

–¿La votación no ha ido como esperabais?

–Si las abstenciones hubiesen sido votos a favor habríamos ganado, pero quien quiera que sea que está envenenando el oído de nuestros políticos ha conseguido sembrar en ellos tantas dudas que ahora lo cuestionan todo.

—Se hará como me habéis pedido, majestad.

—Gracias, Andrej —le dijo Rocco de corazón—. Es bueno saber quiénes son mis aliados.

Conocía a Andrej de toda la vida. Dos años mayor que él, era hijo de Sonja, y prácticamente se habían criado el uno junto al otro. Tenía plena confianza en él.

—Si tus hombres consiguen averiguar algo, quiero que me pongas al corriente de inmediato.

—Entendido, señor.

Rocco se levantó y cuando salió del despacho encontró esperando a Sonja, que se guardó discretamente el móvil en el bolsillo.

—¿Qué vas a hacer ahora? —le preguntó.

—¿Ahora? Escoger a la mujer con la que voy a casarme. ¿Hiciste lo que te pedí?, ¿invitaste a las princesas a venir?

—Por supuesto. Vendrán la semana que viene.

—Bien. Gracias.

—¿Quieres que me ocupe de organizar la recepción? Imagino que querrás invitar a unos cuantos miembros del parlamento y a sus parejas. Calculo que en total podrían ser unas doscientas personas.

—Redacta la lista de invitados y envía las invitaciones lo antes posible. El resto se lo dejaremos a Sandra —dijo Rocco, refiriéndose a la coordinadora de eventos de palacio—. Sé que la boda de Mila iba a haber sido su último evento antes de tomarse la baja por maternidad, pero la señorita Romolo puede ayudarla, y tú puedes confirmar la asistencia de los invitados con ella.

—¿Te parece prudente dejar que se haga cargo esa mujer? —le espetó Sonja.

–Tiene sobrada experiencia en…

Sonja miró hacia otro lado y la oyó mascullar algo entre dientes.

–Si tienes algo que decir, haz el favor de decírmelo a la cara –le pidió Rocco.

–Estoy segura de que es experimentada en muchas cosas, pero no se me habría ocurrido jamás que organizar una recepción real estuviese entre sus… múltiples talentos. Además, creo que no deberías darle tanta responsabilidad.

–¿Por qué habría de ser eso un problema? Ha hecho de anfitriona en las fiestas de varios empresarios importantes en los últimos años.

–Anfitriona… –Sonja resopló por la nariz de un modo poco elegante. Cuando él la miró con dureza, se puso seria–. Te pido disculpas.

Rocco asintió.

–Creo que deberías tomarte el resto del día libre –le dijo–. Quiero pensar que tus palabras se deben a que has estado bajo mucha presión mientras esperábamos el resultado de la votación, y estás empezando a acusar el cansancio.

–No estoy cansada –protestó ella.

–Sonja, por favor. Tómate el resto del día libre –le reiteró él.

Ella apretó los labios.

–Muy bien, pero no me gusta la idea de que te quedes a solas con esa mujer, y creo que acabarás arrepintiéndote de tenerla aquí.

–Tomo nota de tu preocupación. Y ahora vete y descansa.

Sonja resopló, se dio media vuelta y se alejó, visiblemente irritada. Rocco la siguió con la mirada, pensando en lo que le había dicho, y se preguntó si podría ser que tuviese razón.

Otra mañana y otra rosa en la almohada. Y de nuevo Rocco había vuelto a dormir a su lado... y ella debía haberse quedado dormida tan profundamente que otra vez ni se había enterado. Pero la noche anterior no había tomado ningún somnífero. Era extraño que hubiera dormido tan bien...

No pudo evitar que una sonrisa se dibujara en su rostro. Levantó la rosa de la almohada y se la pasó por los labios. Sus pétalos eran tan suaves y frescos... Pero aquello era una locura, se dijo poniéndose seria. No podía dejar que Rocco continuase... «cortejándola» –a falta de otra palabra mejor–, cuando era evidente lo que quería de ella. Claro que tampoco había intentado nada; aparte de aquel beso que tan agitada la había dejado, no había vuelto a tocarla.

Se bajó de la cama y puso la rosa en el pequeño jarrón en que había puesto la que le había dejado el día anterior. Si seguía a razón de una rosa por día, pronto necesitaría un jarrón mucho más grande, pensó mientras se dirigía al baño para ducharse.

Tenía un día muy ajetreado por delante. Se había sorprendido cuando le habían dicho que tendría que ayudar a la coordinadora de eventos de palacio a organizar la recepción de las dos princesas y su séquito para la semana próxima.

Sandra, la coordinadora, estaba esperando a su primer hijo y, aunque podía ocuparse de las cuestiones meramente organizativas, le iba a ser imposible asistir a la recepción y asegurarse de que todo saliese bien, porque no podía estar tantas horas de pie, y Rocco había dicho que, como ella tenía experiencia como anfitriona, podría sustituirla.

Cuando se hubo vestido, bajó a la planta inferior para hablar por videoconferencia con Sandra. Había que planear el menú, discutir la decoración, encargarse del alojamiento de las princesas y sus séquitos… Sonja le había dado una copia de la lista de invitados, aunque con evidentes reticencias. ¿Podía hacerlo?, se preguntó preocupada. Sí, claro que podía hacerlo, se dijo con valor. Podía hacerlo; solo tenía que ponerse manos a la obra.

Capítulo Siete

Ottavia estaba esperando en el salón de baile, hecha un manojo de nervios, a que empezaran a entrar los invitados. A lo largo de la tarde la tranquilidad del lugar se había visto interrumpida por el ruido de helicópteros, embarcaciones y coches que llegaban al castillo, y todos los miembros del servicio andaban atareados, yendo de aquí para allá.

Inspiró y se alisó la falda del vestido con las manos. Había escogido aquel vestido verde oscuro porque era discreto, lo había complementado con un colgante y pendientes poco vistosos y apenas se había maquillado. El evento se había organizado para las princesas, y no quería quitarles protagonismo.

Todo estaba dispuesto. Había repasado cada detalle con el personal de las cocinas y los camareros, y todo debería ir como la seda. De hecho, teniendo en cuenta el poco tiempo que habían tenido para los preparativos, le sorprendía lo bien que, al menos de momento, estaba saliendo todo.

–¿En qué piensas? –le preguntó Rocco, apareciendo a su lado.

Estaba elegantísimo, vestido con un esmoquin y camisa y pajarita blancas, que resaltaban su pelo negro, su piel aceitunada y el color de sus ojos, que brillaban como un whisky añejo.

–Ah, en nada importante –respondió ella, sacudiendo una mota de polvo imaginaria de la solapa de su esmoquin.

Rocco atrapó su mano y la miró a los ojos.

–Estás preciosa esta noche –le dijo con voz ronca.

Ottavia sintió que se le subían los colores a la cara. Estaba acostumbrada a los cumplidos –no significaban nada para ella–, pero por algún motivo aquel parecía tremendamente personal. Y el modo en que estaba mirándola… era como si fueran las únicas dos personas en el salón de baile que, con sus lámparas de araña y las decoraciones de pan de oro de las paredes, parecía salido de un cuento de hadas.

–Gracias, majestad –murmuró bajando la vista–. Vos también. Que estáis muy elegante, quiero decir –se apresuró a corregirse.

Él debió notar su azoramiento, porque cuando volvió a alzar la mirada vio que sus labios se habían curvado en una sonrisa sensual que hizo que sintiera una honda punzada de deseo.

–He estado pensando en tus posibles consortes –le dijo, en un intento por desviar la atención de ella.

–¿Ah, sí?

–Sí, y las dos parecen igual de bien preparadas, pero me estaba preguntando… ¿qué tienen en común contigo?

–¿Conmigo? ¿Y eso qué más da?

Ottavia se mordió el labio y escogió las palabras con cuidado.

–Bueno, es que he estado estudiando sus perfiles y sobre el papel las dos parecen las candidatas perfectas, pero yo creía que un hombre como tú preferiría a una compañera que pudieras considerar como tu igual en vez de una sombra que siga tu estela.

—Continúa —la instó él, al verla vacilar.

—Ahora mismo la situación política en Erminia es tremendamente volátil, y por esa antigua ley se te exige que busques a una consorte que dé estabilidad al país. Me preocupa que la gente vea a la mujer con la que vas a casarte solo como un medio para conseguir un fin: que puedas seguir siendo rey.

Rocco se rascó el mentón, pensativo.

—¿Crees que el pueblo se mostrará poco receptivo hacia mi consorte si me caso ahora?

—Sí, eso creo, porque lo verán como que lo haces porque no tienes elección y no por amor. El pueblo necesita ver un matrimonio unido, no uno de conveniencia.

—Bueno, es que conseguir un matrimonio por amor de encargo es bastante difícil —comentó él con sarcasmo, enarcando una ceja.

—Bastaría con que fuera un matrimonio basado en la atracción y el respeto mutuo que pudiera al menos convertirse en cariño con el tiempo, o incluso dar paso al amor.

—Eso suena muy romántico, pero poco práctico.

—Tal vez, pero estoy segura de que es lo que el pueblo quiere ver. Si ven la esperanza de amor en tu matrimonio, también verán la esperanza de un futuro mejor para el país.

Rocco sopesó sus palabras antes de asentir.

—Pensaré en lo que me has dicho y lo tendré en mente cuando tome una decisión.

Las puertas del salón se abrieron y a cada lado se colocó un sirviente con librea.

–Vamos, ya van a empezar a llegar los invitados –le dijo Rocco, tomándola del brazo para conducirla hacia allí.

Ottavia se esforzó por parecer lo más agradable y profesional posible cuando comenzaron a anunciar a los invitados. No le pasaron desapercibidas las miradas lascivas de muchos de los hombres influyentes que cruzaron esas puertas, ni las miradas desdeñosas y en ocasiones indignadas de las mujeres que los acompañaban, pero mantuvo la calma, negándose a dejar que la afectasen.

Mientras el salón se iba llenando sus ojos se posaron en Rocco, que estaba charlando con la princesa Bettina, la hija menor de un monarca del norte de Europa. Por su lenguaje corporal parecía que tenía mucha confianza en sí misma. Ottavia repasó mentalmente lo que había leído sobre ella en el informe que le había dejado Rocco: había amadrinado varias causas benéficas en los últimos años, y era conocida por sus dotes como amazona. Incluso había representado a su país en las Olimpiadas. Con su blanca piel y su cabello rubio platino era el contrapunto perfecto de Rocco, con su pelo negro y su piel morena, como si fueran el día y la noche.

Pero… ¿lo cuestionaría cuando necesitase que lo cuestionase? ¿Y lo consolaría aun cuando se negase a admitir que necesitaba que lo consolasen? ¿Podría haber la suficiente química entre ellos como para que conectasen? La verdad era que lo dudaba.

Sus pensamientos se vieron interrumpidos por una voz femenina:

–Disculpe.

Ottavia se volvió, esbozando una sonrisa que flaqueó un poco al reconocer en la joven frente a ella a la otra posible consorte de Rocco, la princesa Sara.

—¿Puedo ayudarla en algo, alteza?

—Me estaba preguntando, señorita Romolo, si es parte del personal de palacio. ¿Qué puesto desempeña exactamente? —le preguntó la bella pelirroja con impertinencia, mirándola de un modo especulativo.

—No trabajo para la Casa Real; soy una invitada de su majestad, pero me ha pedido que ejerza de anfitriona —respondió Ottavia, dándole deliberadamente una explicación lo más sencilla posible.

La princesa sonrió con malicia.

—Ah, una invitada —murmuró, asintiendo con la cabeza—. Ya veo.

Ottavia comprendió al instante que la princesa probablemente intuía que había mucho más.

—Estoy segura de que nos llevaremos bien, ¿verdad?

—¿Perdón?

—Usted y yo —le aclaró la princesa Sara, señalando a Rocco con la cabeza—, cuando el rey y yo estemos casados. Creo que será usted justo la distracción que el rey necesita —dijo mirándola de arriba abajo.

—Lo siento, alteza —dijo Ottavia, intentando no perder los estribos—, pero no sé muy bien de qué estáis hablando.

—Vamos, no tiene que fingir conmigo. Soy perfectamente consciente de cuáles serán mis deberes para con él cuando nos casemos, igual que estoy al corriente de su reputación, señorita Romolo, y de sus… —la miró de nuevo de arriba abajo— muchos talentos. Y, francamente, no tengo la menor objeción a que mi futuro marido satisfaga sus necesidades con otra cuando yo le haya dado el heredero de rigor y si acaso uno más. Seguramente no nos lleve mucho tiempo, y luego podrá volver a tenerlo todo para usted.

Ottavia no se atrevió a responder. ¿Es que no tenía corazón? Si las cosas fuesen como la princesa estaba sugiriendo y se invirtieran las tornas, ella no querría saber nada de la amante de su marido. No podía ni imaginarse estar dispuesta a compartir las atenciones y el afecto de Rocco con otra mujer. De hecho, lo que le entrarían ganas de hacer sería sacarle los ojos.

Aquel pensamiento la sorprendió. Nunca había sido una persona posesiva. ¿Cómo podía ser que Rocco hubiera conseguido derribar sus barreras por completo y tan deprisa? Necesitaba tomar distancia, necesitaba respirar, ir a algún sitio donde pudiera estar a solas para analizar aquellos pensamientos tan desasosegantes y volver a ensamblar su armadura mental.

–Si me disculpáis un momento… –fue todo lo que acertó a decir.

–Por supuesto –respondió la princesa Sara, asintiendo con la cabeza antes de girarse hacia otra persona.

Ottavia se alejó y salió a la terraza. Caminó hasta el extremo más alejado y puso las manos sobre la balaustrada de piedra, aferrándose a ella con fuerza. No, se dijo, ella nunca se había permitido sentirse atraída por ninguno de sus clientes. Tenía que pensar en Adriana.

Sintió una punzada en el pecho al recordar la videoconferencia que había mantenido con ella hacía unas horas. Su hermana pequeña era la única persona en el mundo a la que amaba de forma incondicional y con toda su alma. Adriana le había suplicado que fuera a verla, y cada una de sus lágrimas había sido un mazazo para ella. Adriana apenas comprendía el concepto del tiempo, pero sí entendía cuántos días tenía que tachar en el calendario hasta que volvieran a estar juntas, y le parecían demasiados.

Si hacía aquello era por ella. Adriana, que ahora tenía catorce años, había nacido con un grado muy alto de síndrome de Down, y a eso había que añadirle el defecto congénito de corazón que tenía, y que por desgracia no se podía operar. La atención y los cuidados que necesitaba eran muy caros, pero Ottavia estaba resuelta a que, mientras viviese, no le faltarían.

Su única pena era que sus compromisos de trabajo le quitaban muchísimo tiempo. Sus clientes esperaban de ella que estuviese a su disposición todo el día, lo que le dejaba pocas oportunidades de pasar el tiempo que le gustaría con Adriana. Pero gracias a su trabajo podía pagar las facturas del centro en el que estaba ingresada su hermana y, cuando hubiese ahorrado lo suficiente, compraría una casa para llevársela a vivir con ella, y dejaría de trabajar.

Hacía aquello por Adriana, se dijo con firmeza, y volvió dentro, a la fiesta, donde charló con los invitados mientras supervisaba a los camareros que iban y venían con bandejas de canapés, y se aseguraba de que nadie bebiese demasiado.

Cuando hubo oscurecido por completo, todos los invitados fueron conducidos fuera para ver el espectáculo de fuegos artificiales sobre el lago. Ella se quedó atrás, observándolos en vez de unirse a ellos, y fue entonces cuando un hombre salió de las sombras para acercarse a ella. Había algo en él que le resultaba vagamente familiar, y en un primer momento creyó que era Rocco, pero cuando llegó junto a ella se dio cuenta de que era alguien a quien nunca antes había visto.

–Señorita Romolo –la saludó.

–Me lleva usted ventaja –le dijo con una sonrisa forzada–. Sabe cómo me llamo, pero yo no sé su nombre.

El vello de la nuca se le había erizado y el corazón le latía muy deprisa, pero no porque se sintiera atraída por él, sino porque, por alguna razón, la inquietaba. Tal vez fuera su mirada penetrante, o su expresión amenazadora.

–El general Andrej Novak; a su servicio –respondió el hombre, inclinándose ligeramente.

El mando supremo de las Fuerzas Armadas… Ottavia había oído hablar de él después del secuestro de la princesa Mila. Según parecía le habían disparado cuando intentaba protegerla. Los secuestradores lo habían dado por muerto, pero solo lo habían herido, y había logrado regresar a palacio para alertar de lo ocurrido antes de perder el conocimiento.

–¿Está disfrutando de la fiesta, general?

Él se quedó callado un instante antes de contestar, como si estuviera sopesando su respuesta.

–Las noches como esta siempre son mejores cuando uno tiene a su lado a una mujer hermosa.

Seguramente había pretendido hacerle un cumplido, pero en vez de sentirse halagada, lo que Ottavia sintió, sobre todo por el modo lascivo en que la miró, fue un escalofrío.

–Siento curiosidad –añadió él–: ¿cuándo termina su contrato con el rey?

–Creo que eso es algo entre el rey y yo –le espetó ella.

Una repentina explosión la hizo dar un respingo. Eran los fuegos artificiales, que habían comenzado. Una sucesión de destellos de colores iluminó el cielo nocturno. El general se acercó un poco más y le rodeó la espalda con el brazo.

—Solo se lo pregunto porque yo también estoy necesitado de compañía, de una mujer que sepa ser discreta, pero también que sepa complacerme. Me han dicho que tiene usted muy buenas referencias.

De nuevo esa sensación inquietante volvió a recorrerla.

—No sé si entiendo a qué se refiere —le dijo con frialdad.

Él inclinó la cabeza hacia ella y le susurró los nombres de algunos de sus clientes menos conocidos. ¿Cómo podía saber que había trabajado para ellos? Se apartó de él al instante, mirándolo aturdida.

—¡Eso es información confidencial! —lo increpó.

—Es que estoy muy bien informado, señorita Romolo —respondió él con una sonrisa desagradable—. Podría averiguar cualquier cosa que quisiera saber sobre su vida.

Antes de que Ottavia pudiera decir nada, el general ya se había marchado, perdiéndose de nuevo en las mismas sombras de las que había emergido. De pronto sentía miedo, ansiedad, se sentía vulnerable… Y sin duda era lo que él había pretendido con esa amenaza velada. Un mal presentimiento la invadió, y volvió a sobresaltarse cuando se oyó otra explosión en el aire, seguida de las exclamaciones de admiración de los invitados.

Volvió dentro y fue a la barra.

–Un whisky –le pidió al barman–, solo.

El hombre se lo sirvió, y ella se llevó el vaso a los labios. Mientras el líquido le bajaba por la garganta, abrasándola, cerró los ojos un momento. Su instinto le decía que debería irse de allí, pero había firmado un contrato.

Abrió los ojos y volvió fuera. Los invitados seguían absortos en los fuegos artificiales. Cuando sus ojos encontraron a Rocco entre ellos, se disipó parte de la tensión que la había atenazado tras su encuentro con el general.

Una vez más intentó ignorar la extraña sensación que la asaltó mientras lo observaba. Tenía la cabeza agachada hacia la princesa Sara, y estaba sonriendo por algo que ella había dicho. Al ver que la princesa tenía apoyada la mano en su hombro de un modo posesivo, notó una sensación amarga en la garganta, pero tragó saliva y se recordó que Rocco no era más que un cliente. Era su pasaporte hacia la libertad: cumpliría con lo que habían acordado y luego dejaría aquel trabajo, como siempre había planeado, e iniciaría una vida normal y tranquila en el más completo anonimato junto a Adriana. Y no tendría que volver a preocuparse por hombres como el general Novak.

Capítulo Ocho

Rocco paseó la mirada por salón de baile en busca de la persona a la que quería ver, pero Ottavia parecía haber desaparecido. Frunció el ceño, irritado. ¿Dónde podría estar?, se preguntó mientras zigzagueaba entre las parejas que bailaban. Era más de medianoche y ya estaba harto de hacer de anfitrión y de bailarle el agua a gente que no le importaba lo más mínimo. Lo que estaba deseando hacer era retirarse a sus aposentos.

Hasta Andrej parecía haberle abandonado. Tampoco lo veía por ninguna parte. Pero al menos las princesas parecían estar pasándolo bien, pensó, mirando primero a una, que estaba bailando, y luego a la otra, que se estaba riendo de algo que estaban contándole.

Las dos eran atractivas y desde luego tenían una preparación excelente, pero no había sentido la menor chispa hacia ninguna de ellas, y durante toda la velada se había encontrado preguntándose si sería capaz de casarse con una extraña simplemente para dar al reino un heredero antes de cumplir los treinta y cinco, como le exigía aquella absurda ley.

No le quedaba otro remedio, se recordó, y trató de imaginar una vida, un futuro, con una de las dos princesas. Pero cada vez que lo intentaba la única mujer a la que veía a su lado era una mujer de cabello negro como la noche y misteriosos ojos de un gris verdoso. ¿Dónde se habría metido?

Abandonó el salón de baile aprovechando que nadie miraba, y estaba deambulando por un pasillo, con la esperanza de encontrar a Ottavia, cuando oyó voces. Provenían de la escalera de servicio. Una de ellas era la de Ottavia, y la otra de una chiquilla. Se asomó y vio a Ottavia sentada en uno de los escalones inferiores con la cría, que tendría cuatro o cinco años, en su regazo.

–¿Es una fiesta privada o puede unirse cualquiera? –les preguntó.

La niña alzó la vista y, al reconocerlo, se quedó mirándolo, boquiabierta.

–Majestad… –dijo Ottavia–. Por favor, bajad y uníos a nosotras en vez de quedaros ahí acechándonos desde lo alto como un malvado dragón.

La niña prorrumpió en risitas y ocultó su rostro en el pecho de Ottavia.

–¿Un dragón? –inquirió Rocco, bajando hasta donde estaban.

–Un enorme dragón que escupe fuego –dijo Ottavia con una voz melodramática.

La niña, que seguía con la cabeza en su pecho, volvió a reírse y miró tímidamente a Rocco, que le guiñó un ojo.

–En realidad no soy un dragón –le susurró, sentándose junto a ellas–, pero no se lo digas a nadie.

–No lo haré –prometió la pequeña.

–Esta es Gina –se la presentó Ottavia–. Es la hija de Marie, y debería estar en su cama, durmiendo, pero dice que estaba teniendo una pesadilla y salió en busca de su mamá. Estaba llorando cuando la encontré. Parece que su abuela, que estaba cuidando de ella, no se despertaba, pero he mandado a alguien a ver si estaba bien y gracias a Dios es solo que tiene un sueño muy profundo. Ha dicho que bajará enseguida a recoger a nuestra intrépida aventurera –le explicó–. ¿Me estabas buscando?

La imagen de Ottavia con la niña en su regazo enterneció a Rocco. Se la veía tan natural, y tan cómoda, como si no le importara que la pequeña le hubiese mojado el caro vestido con sus lágrimas, ni que estuviese jugando con un mechón que se había escapado del recogido. La verdad es que a él le encantaría hacer lo mismo.

–Sí, la verdad es que sí.

–¿Ha ocurrido algo? –inquirió ella.

–¡Ay, señorita, cuánto lo siento! –exclamó una mujer mayor que apareció en ese momento, bajando la escalera a toda prisa. Al reconocer a Rocco, se detuvo–. ¡Majestad! Discúlpeme, no lo había visto –dijo haciéndole una reverencia–. Y perdón por las molestias, señorita Ottavia.

–Ve con tu abuela, Gina –instó Ottavia, y besó a la pequeña en la frente antes de bajarla de su regazo–. Y no te preocupes, Juliet –le dijo a la anciana incorporándose–, no hay nada que perdonar. ¿Verdad, majestad? –añadió volviendo la cabeza hacia Rocco, que se había levantado también.

–Claro, por supuesto que no.

La anciana tomó a la niña de la mano y, tras otra reverencia, se la llevó de nuevo arriba con ella.

–Parece que eres una mujer con muchos talentos –le dijo Rocco a Ottavia, mientras esta volvía a sujetar con una horquilla el mechón rebelde.

–¿Porque no he huido chillando de una niña asustada? –contestó ella, en un tono que rozaba el sarcasmo.

–Dudo que muchas de las mujeres que hay aquí esta noche hubieran hecho lo que tú has hecho.

–Tus invitados te estarán echando de menos –dijo ella, ignorando su comentario–. Deberías volver a la fiesta.

Rocco entrelazó el brazo de ella con el suyo.

–De acuerdo –respondió–, volvamos.

–No me refería a eso –protestó Ottavia–. No somos pareja, majestad.

–Rocco, ¿recuerdas?

–No creo que sea buena idea tutearnos, cuando alguien podría oírnos y llevarse una impresión equivocada.

–¿Una impresión equivocada? ¿De qué?

Por un momento Ottavia pareció no saber cómo contestar.

–Bueno, no querrás espantar a tus posibles futuras consortes.

–No creo que tenga que preocuparme por eso –respondió él, conduciéndola de vuelta al salón de baile.

–¿Que no…? ¿Ya te has decidido por una de las princesas?

¿Era su imaginación, o parecía algo decepcionada? Esperaba que lo estuviese, porque la idea que había estado rondándole estaba empezando a tomar forma.

–Estaba pensando que quizá haya llegado el momento de añadir otra cláusula a nuestro contrato.

–¿Sobre qué?

–Una cláusula que especifique esos otros… «servicios» por los que me preguntaste.

Ottavia frunció el ceño.

—Si estás sugiriendo que continuemos con nuestro acuerdo cuando te hayas casado, me temo que mi respuesta es no. No acepto a clientes casados.

—¿No estás a favor del adulterio? —inquirió él con cierta guasa.

Ottavia, sin embargo, seguía muy seria.

—En vez de modificar nuestro contrato, quizá deberías anularlo y dejar que me fuera. No estaría bien que siguiera aquí cuando se anuncie tu compromiso.

Rocco se detuvo y se volvió hacia ella.

—No puedo dejarte marchar —le dijo—. Si te marchas, no podré hacer esto...

Y sin previo aviso la tomó entre sus brazos, apretándola contra sí, y se inclinó para besarla. Sabía que aquello era una imprudencia por su parte porque estaban a solo unos metros del salón de baile y si alguien los viera se armaría un escándalo, pero no había podido resistirse.

En un primer momento Ottavia se puso rígida, pero luego empezó a relajarse y subió las manos a su pecho. Y no solo eso, sino que a continuación agarró las solapas del esmoquin y enroscó su lengua con la de él, haciendo que lo envolviese una ola de calor y deseo.

De pronto los ruidos amortiguados del salón de baile llegaron a sus oídos con más claridad, y se oyeron pasos. Alguien había salido. Despegó sus labios de los de Ottavia y se apartaron el uno del otro.

—Ah, Andrej —dijo al ver que era él quien se acercaba—. Creía que ya te habías ido.

—No, claro que no —replicó su compañero de juegos de la infancia—. Es que estaba... —vaciló un instante y miró a Ottavia antes de volver a fijar sus ojos en él–. Bueno, tuve que ausentarme un momento para hacerme cargo de un asunto.

A Rocco le pareció ver un destello en los ojos de Andrej. ¿Acaso sentía celos de él? Pues claro que no, ¡qué tontería! Todo el mundo sabía que Andrej era un casanova. ¿Por qué iba a sentir celos de él?

–El caso es –le dijo Andrej–, que la princesa Bettina te está buscando. Le dije que yo te encontraría. ¿O prefieres que le diga que estás ocupado?

–No, iré con ella –contestó Rocco, con un suspiro de irritación–. ¿Me disculpas, Ottavia?

–Claro –murmuró ella–. Yo aprovecharé para ir a… retocarme el maquillaje –añadió azorada antes de alejarse.

–Tú también deberías… ya sabes –le dijo Andrej a Rocco, señalándose los labios.

Él se apresuró a limpiarse el carmín con un pañuelo.

–Gracias. ¿Quieres llevarme con la princesa?

–Por supuesto. A menos que prefieras que me quede y le eche un ojo a tu cortesana –respondió Andrej con una sonrisa maliciosa, girando la cabeza hacia Ottavia, que se dirigía por el pasillo hacia el aseo de señoras.

A Rocco le irritó profundamente su insinuación lasciva.

–No, Ottavia es perfectamente capaz de encontrar el camino de vuelta.

–Seguro que sí. Parece una mujer de… recursos –dijo Andrej, con otra sonrisa impertinente.

Y es muy hermosa. No me extraña que andes tan distraído.

Un nuevo arranque posesivo volvió a nublar la mente de Rocco, que se mordió la lengua para no decirle que se guardara sus palabras donde le cupiesen. Lo cierto era que tampoco es que hubiera dicho nada ofensivo, y no era el único hombre que esa noche había hecho un comentario sobre la belleza de Ottavia. Estaba reaccionando de un modo ridículo.

–Bueno, llévame con la princesa Bettina –le dijo, y dejó que Andrej fuera delante.

Andrej lo condujo hasta ella, pero cinco minutos después se excusó y se marchó. La princesa Bettina estaba diciéndole lo muchísimo que estaba disfrutando de la velada, pero Rocco no estaba prestándole demasiada atención, pendiente como estaba de que regresara Ottavia. Era una locura que no pudiera dejar de pensar en ella. Era como si, cuanto más tiempo pasase con ella y más la conociese, más quisiese estar con ella, y cuando por fin regresó envidió a todas las personas con las que vio que se detenía a hablar.

–Veo que su señorita Romolo ha regresado –observó la princesa Bettina.

Rocco giró la cabeza hacia la princesa, que esbozó una sonrisa y le dijo con calma:

–Es a ella a quien estabais buscando con la mirada, ¿no?

Rocco se sentía incómodo de que lo hubiera pillado in fraganti, pero le extrañó que no pareciera molesta.

–Ah, no os preocupéis –añadió la princesa, como si le hubiera leído el pensamiento–. Lo comprendo; los hombres tienen sus necesidades. Al menos tenéis buen gusto. Ha hecho un trabajo maravilloso con la organización de esta fiesta.

–Gracias; le transmitiré vuestro cumplido.

—Sí, por favor. ¿Me disculpáis?

Él asintió con una pequeña reverencia y la siguió con la mirada mientras se alejaba entre los demás invitados para reunirse con su dama de compañía. Aquella conversación lo dejó un tanto perplejo, igual que otra similar que había tenido antes con la princesa Sara.

Parecía que a ninguna de las dos les molestaba la idea de que pudiera tener una amante, y era algo que lo descolocaba bastante. Era como si a las dos les pareciera algo normal, y como si hubieran dado por hecho que esa situación continuaría aún cuando estuviesen casados. ¿Significaba eso que se habían resignado a que el hombre con el que se casaran les sería infiel? O, peor aún, ¿que ellas mismas también contaban con que podrían tener un amante, o varios?

La sola idea lo repugnaba. No era la clase de hombre dispuesto a compartir a su esposa con otros. Además, había visto en sus padres lo destructiva que podía volverse una relación cuando ninguno de los dos amaba al otro y buscaban placer en otra parte.

Cuando se casara, para él solo habría una mujer, y le sería fiel hasta que la muerte los separase. Sin embargo, la idea de pasar toda su vida junto a la princesa Bettina o la princesa Sara se le antojaba una eternidad.

Después de que terminara su relación con Elsa, le había costado volver a confiar su corazón a otra mujer. Se había volcado en sus obligaciones para superar el dolor de aquella ruptura, pero siempre había pensado, o esperado al menos, que un día volvería a encontrar el amor.

Sabía que era un buen rey, y que podría ser aún mejor con la mujer adecuada a su lado, pero… ¿quién era esa mujer? Dudaba mucho que las princesas Sara o Bettina pudiesen desempeñar ese papel.

Los invitados estaban empezando a retirarse a descansar, y le fue más fácil ver a Ottavia, que seguía acercándose a hablar con unos y otros para ver si necesitaban algo. Recordó aquella enternecedora escena en la escalera, con la pequeña Gina en sus brazos, y pensó en lo natural y cómoda que la había visto. ¿Habrían hecho lo mismo la princesa Sara o la princesa Bettina?, ¿le habrían dedicado la misma atención y cariño a una niña llorosa y asustada? Y, si se casara con una de ellas, ¿lo harían siquiera con un hijo suyo?

El pensar en un hijo de su propia sangre le hizo sentir un arranque protector indescriptible. Quería que sus hijos se sintiesen queridos por sus padres y por su pueblo, y solo había una manera de asegurarse que así sería. La idea con la que había estado fantaseando antes, cada vez le parecía más atractiva.

Sus ojos se posaron en Ottavia, que giró la cabeza en ese momento y lo pilló mirándola. Un suave rubor tiñó sus mejillas, y en sus labios se dibujó una pequeña sonrisa, una sonrisa que iba dirigida únicamente a él. ¿Se atrevería a hacerlo?, se preguntó. ¿Sería capaz de convertir a su cortesana en su reina?

Capítulo Nueve

Cuando Sonja entró en su despacho y se plantó frente a su escritorio, Rocco alzó la vista y la miró interrogante, enarcando una ceja.

—Las princesas se marchan, y tengo entendido que no has hecho el menor esfuerzo por pedir a ninguna de ellas que se case contigo –le dijo Sonja.

—Es cierto –admitió Rocco, echándose hacia atrás en su asiento–. Probablemente porque no quiero casarme con ninguna de ellas.

Sonja frunció el ceño.

—No me parece que sea momento para chistes.

—No era un chiste. El matrimonio es algo muy serio. Si pensara que podría ser feliz casándome con una de esas dos mujeres, ¿no crees que lo haría por mi país?

—Y entonces ¿qué vas a hacer? El tiempo juega en tu contra. ¿O es que has decidido darte por vencido?

—No, se me ha ocurrido una idea de la que quiero hablarte; siéntate.

—Soy toda oídos –dijo Sonja cuando hubo tomado asiento frente a él.

Rocco la escrutó en silencio. Al principio, cuando se había convertido en rey a la muerte de su padre, había recurrido a ella con frecuencia, por su vasto conocimiento de Erminia, y porque se fiaba de sus consejos, siempre ponderados. Sin embargo, a medida que se había ido haciendo más mayor, había empezado a tener más confianza en su propio criterio, hasta el punto de que en los últimos diez años su papel había sido más el de una informadora que el de una consejera. Y, sin embargo, tenía curiosidad por saber qué pensaba del plan que se le había ocurrido.

–Es evidente que no me queda otra que casarme, pero la ley no dice con quién debo casarme.

Sonja asintió, sin hacer comentario alguno.

–El caso es –continuó Rocco– que siempre había tenido la esperanza de poder escoger a una mujer de Erminia, a alguien que comprenda a mi pueblo. Alguien que sepa que estará a mi lado pase lo que pase. Alguien por quien me sienta atraído física y mentalmente.

A pesar de la expresión aparentemente serena de Sonja, era evidente que los engranajes de su cerebro estaban moviéndose, tratando de comprender adónde quería llegar, y cuando lo entendió la vio palidecer y aferrarse con fuerza a los brazos de la silla.

–No estarás hablando de casarte con esa… esa mujer –dijo con desdén.

–Así es. Es la solución perfecta: es de Erminia, y no tendré que perder tiempo cortejándola; incluso podríamos celebrar una boda discreta en la capilla del castillo.

–¡No puedes casarte con ella! –exclamó Sonja–. Es una pros…

–Es una cortesana –la corrigió él–. Hay mucha diferencia. Además, no sería el primer monarca que se casa con su amante –razonó–. ¿Y no eras tú quien me decía que lo único que tenía que hacer era casarme y engendrar un heredero legítimo?

–¿No estarás hablando en serio…? Esa mujer se

gana la vida vendiendo su cuerpo. Incluso Andrej…
—Sonja se calló de pronto.

Rocco frunció el ceño.

—Incluso Andrej, ¿qué?

—Nada; olvídalo. Es igual, porque no te casarás con
ella.

Tal vez a ella no le pareciera importante, pero de
pronto Rocco recordó cómo había mirado Andrej a Ottavia la noche de la fiesta mientras se alejaba.

—No puedes fiarte de una mujer así –insistió Sonja–.
¿Acaso esperas que te sea fiel?

—No se debe juzgar un libro por la portada –replicó él–.
Además, aunque me casara con una princesa, tampoco
tendría la certeza de que me fuese a ser fiel. Mis padres…

—No es la credibilidad de tus padres la que está en
juego –protestó Sonja–, sino la tuya. El pueblo no res-
petará a una mujer así. No puedes pedirles que la respe-
ten. Nadie te respaldará si sigues adelante con esta idea
absurda. Si haces eso parecerá que estás desesperado.
Es más, si estás pensando seriamente en rebajarte de
esa manera solo para no perder el trono, creo que va
siendo hora de que te plantees abdicar.

Rocco la miró sorprendido. Había esperado rechazo
por su parte, pero no que lo expresara de un modo tan
vehemente. ¿Y por qué volvía a insistir en que debería
abdicar? ¿Qué demonios estaba pasando? La miró irritado y le dijo levantándose:

—Te agradezco tu opinión. Y puedes darle las gracias a las princesas por haber venido, y por su tiempo,
pero no voy a casarme con ninguna de las dos.

—¿Que les dé las gracias? Pero deberías ser tú quien
lo hiciera, quien las despidiera… ¿Adónde vas?

–He pensado en ir a dar un paseo en lancha por el lago con la señorita Romolo.

–¿Que te vas a ir a navegar en un momento así? –exclamó Sonja con incredulidad–. No te importa nada lo que pueda pensar tu pueblo, ¿verdad?

–Sí que me importa, Sonja, y precisamente por eso no quiero embarcarme en un matrimonio precipitado y vacío con una mujer que no signifique nada para mí. Además, hace un día precioso, y todos necesitamos tomarnos un descanso de vez en cuando, incluso tú.

Sonja apretó los labios.

–Esta clase de comportamiento es justamente el motivo por el cual hay quienes quieren otro rey. Acuérdate de lo que te digo: recoges lo que siembras.

Rocco estaba empezando a perder la paciencia.

–¿Estás diciendo que soy un monarca descuidado?

–Tómate mis palabras como quieras. Tengo trabajo que hacer, no como tú, que crees que puedes desentenderte de tus obligaciones cuando te plazca.

Y, sin darle tiempo a responder, Sonja se levantó bruscamente y salió del despacho. Rocco se puso de pie y la siguió con la mirada. Esa vez había ido demasiado lejos. Lo último que se hubiera esperado era que le echase un rapapolvo como el que le acababa de echar. Su comportamiento le preocupaba.

Sentada en la terraza de los aposentos privados de Rocco, Ottavia estaba mirando el lago, absorta en sus pensamientos, cuando una mano se posó en su hombro, haciéndole dar un respingo. Era Rocco. El calor de sus dedos traspasó la tela de la blusa, y un cosquilleo la recorrió.

–¿Todo bien? –le preguntó, esforzándose por parecer calmada.

Se fijó en que se había cambiado el traje con el que lo había visto en el desayuno por unos pantalones de sport y un polo. Sin embargo, a pesar del atuendo informal, se le veía muy tenso.

–La verdad es que no. Necesito distraerme un poco; ¿te apetece venir a dar una vuelta en lancha por el lago?

Ottavia le ocultó su sorpresa. Había oído que las princesas se marchaban ese día, aunque no sabía a qué hora, y había supuesto que antes de su partida anunciaría a cuál había elegido, no que fuera a invitarla a navegar. Claro que tal vez no se refiriera solo a ella.

–Me encantaría. ¿Vendrán las princesas también?

–No, las princesas no –respondió él en un tono enfático.

–Ah. Bueno, y… ¿hace falta que me cambie?

Rocco la recorrió con la mirada. Llevaba unos pantalones cortos, una blusa sin mangas y unas sandalias.

–Así vas perfecta –le dijo–, pero antes de irnos querría que leyeras esto –añadió, tendiéndole unas hojas impresas.

Ottavia comenzó a leer la primera página por encima, y se le cortó el aliento al comprender qué era aquello.

–Rocco… esto no irá en serio, ¿verdad? ¡No puedes casarte conmigo! –exclamó.

Él la miró a los ojos.

–¿Por qué no? Hemos firmado un contrato; esto solo sería una ampliación de nuestro acuerdo.

–El matrimonio es algo muy serio.

—Y yo jamás he hablado tan en serio como lo estoy haciendo en este momento.

Ottavia se quedó mirándolo de hito en hito. Dios del cielo… No estaba bromeando…

—¿Pero has pensado lo que estás diciendo?

—Ya lo creo que lo he pensado. Mira, no tienes que darme una respuesta ahora; piénsatelo. Piensa en lo que puedo ofrecerte.

—Eso suena de lo más mercenario…

—Es un contrato, Ottavia. No muy distinto del que firmamos hace unos días. Si tanto te repele la idea, no tienes por qué firmarlo. Pero querría que consideraras las ventajas que podría reportarnos esa unión. Nos sentimos atraídos el uno por el otro, ¿no? Y nos respetamos. Podría funcionar. ¿No fuiste tú quien me dijiste que sobre la base de esas dos cosas se puede cimentar un matrimonio e incluso dar paso al amor?

Había sido muy listo, usando sus palabras contra ella y haciendo que pareciera de lo más simple, pero ella no era una ingenua. Rocco había dejado muy claras sus expectativas en aquel nuevo contrato que había redactado: quería un matrimonio a todos los efectos prácticos, y un heredero lo más pronto posible. El contrato también exigía fidelidad absoluta por ambas partes. Esa condición estaba resaltada en negrita y no era negociable.

Todo lo relativo a aquel contrato la ponía nerviosa. Casarse nunca había entrado en sus planes. Y jamás había conocido a ningún hombre que pudiera hacerla cambiar de idea… hasta entonces.

No, aquello era impensable. No había recibido la formación de una princesa, y había sombras en su pasado y complicaciones en su vida que él desconocía. ¿Aceptaría a Adriana?, ¿le permitiría ser parte de sus vidas?

–¿Por qué yo? –le preguntó aturdida–. ¿Por qué no las princesas Sara o Bettina? Son mucho más aptas que yo para ocupar ese lugar a tu lado.

Rocco se quedó mirando el lago un momento antes de volverse de nuevo hacia ella.

–Porque no puedo imaginar un futuro con ninguna de ellas.

¿Significaba eso que sí era capaz de imaginar un futuro con ella? Al menos no había caído en una falsa declaración de amor, aunque, si aceptaba por ciertas esas palabras suyas que había citado, entonces es que creía que podría llegar a amarla. Inspiró profundamente.

–Ya veo –murmuró–. Desde luego necesito pensarlo.

–Lo comprendo. Solo te pido que no me hagas esperar demasiado.

Por supuesto… estaba esa ley sucesoria; tenía que dar un heredero a la Corona antes de cumplir los treinta y cinco. Rocco se jugaba mucho, pero también ella. Si accedía a lo que le estaba pidiendo, no solo haría algo que jamás habría pensado que haría –casarse–, sino que además tendría que tener un hijo, cuando siempre se había jurado que jamás traería hijos al mundo.

Rocco le tendió la mano.

–Vamos, ese paseo por el lago te ayudará a despejar tu mente.

***

Cuando llegaron al embarcadero, un empleado de palacio había preparado ya la lancha y había arrancado el motor.

–¿Hay chalecos salvavidas a bordo? –le preguntó a Rocco, algo nerviosa–. No nado demasiado bien.

–Pues claro, pero no tienes por qué preocuparte –le aseguró él–; esta lancha es muy segura. Además, yo no dejaría que te ahogaras.

Tras una breve conversación con el empleado, Rocco subió a la lancha y se volvió hacia ella para ofrecerle su mano. La embarcación se bamboleó ligeramente cuando se subió, y tuvo que apoyarse en el pecho de él para no perder el equilibrio.

–Perdón –balbució, apresurándose a sentarse.

Rocco abrió un pequeño compartimento en el lateral de la lancha y sacó dos chalecos salvavidas.

–Te ayudaré a ponértelo –le dijo.

Cuando hubo terminado de abrochárselo a la cintura, se colocó el suyo también y se pusieron en marcha.

Ottavia observó a Rocco mientras soltaba amarras antes de lanzarle la soga al empleado. Luego se puso al volante de la lancha y comenzaron a alejarse de la orilla. Surcaban el lago despacio, y él iba señalándole distintas construcciones que se veían a lo lejos y explicándole qué eran. Al cabo de un rato paró el motor.

–Este lugar es tan apacible… –comentó Ottavia–. No me extraña que te guste tanto.

–¿Quieres probar a llevar la lancha un rato? –le preguntó Rocco.

Ottavia vaciló un momento, pero se recordó que a veces la mejor manera de superar un miedo era afrontarlo.

–Bueno, aunque tengo que advertirte de que jamás he conducido una lancha.

Se puso al volante, y Rocco se colocó de pie detrás de ella, con los brazos alrededor de los suyos.

–¿Así enseñas a todas tus invitadas? –lo picó Ottavia.

–No, a todas no –murmuró él. Le apartó el pelo y la besó en el cuello, haciéndola estremecer–. Solo a aquellas con las que quiero casarme.

Se oyó un ruido de aspas, y cuando alzó la mirada hacia el cielo, Ottavia vio primero a un helicóptero alejándose y al poco otro. Las princesas ya se habían marchado. Ahora estarían a solas en el castillo, sin huéspedes a los que entretener y de los que estar pendientes. Y sin las princesas rivalizando por la atención de Rocco, lo tendría para ella sola.

–Empecemos con nuestra primera lección –le dijo Rocco, frotando la nariz contra su cuello, y haciendo que se le disparase el pulso–. Vamos a probar a ir un poco más deprisa –añadió, empujando suavemente con la mano la palanca del acelerador.

Ottavia sentía el pelo azotándole la cara con el viento.

–Vamos a girar despacio hacia la derecha –le indicó Rocco, poniendo sus manos sobre las de ella para guiarla.

La lancha describió un amplio arco en el agua, y a pesar de su reticencia inicial Ottavia estaba empezando a relajarse y se rio, encantada con aquella nueva y emocionante experiencia.

De pronto, sin embargo, se fijó en que cada vez iban más deprisa, y que se dirigían hacia unas rocas. Rocco se puso tenso.

–¿Qué pasa? –inquirió ella volviéndose.

–Ve a sentarte –le ordenó él, levantando el brazo para que pudiera pasar por debajo–. Parece que le pasa algo al acelerador.

El corazón le dio un vuelco a Ottavia, pero hizo lo que le decía. Desde su asiento lo vio sacudir una y otra vez la palanca sin ningún resultado. No conseguía aminorar la velocidad, y estaban cada vez más cerca de las rocas.

–¡Agárrate! –le gritó Rocco mientras intentaba hacer virar la embarcación–. ¡Maldita sea!

–¿Qué ocurre?

–El volante tampoco responde –se volvió hacia ella y, mirándola a los ojos, le dijo–: Si lo que voy a intentar no funciona, tendremos que saltar al agua.

Se quitó el cinturón de los pantalones y trató de sujetar el volante con él, pero era como si la lancha hubiese cobrado vida propia. Agarró a Ottavia por el brazo para hacerla levantarse y la llevó hasta la popa.

–No creo que pueda hacer esto –dijo ella, presa del pánico.

–Tenemos que hacerlo. Vamos directos hacia las rocas. Si no saltamos, moriremos.

–Tú primero –le suplicó ella.

–No voy a dejarte –insistió Rocco.

La alzó en volandas y la arrojó al agua por la borda. Ottavia gritó al caer al lago. El agua estaba fría, y contuvo el aliento durante el breve instante en que se sumergió. El salvavidas se infló de inmediato, sacándola de nuevo a la superficie.

Se le había metido agua en la nariz y no veía nada. Solo oía el rugido de la lancha alejándose, y luego un horrible estruendo cuando se chocó de lleno contra las rocas. Braceó desesperada, buscando a Rocco. ¿Había saltado también o no le había dado tiempo?

A su alrededor flotaban trozos de la lancha, algunos de los cuales caían del cielo. Empezó a llamar a Rocco, gritando su nombre.

–¡Estoy bien, ya llego! –exclamó él, apareciendo a su lado. La rodeó con el brazo–. Agárrate a mí; te llevaré a la orilla.

Ottavia, que aún estaba aturdida, obedeció y dejó que la arrastrara a nado para ponerla a salvo.

–Aquí ya deberías hacer pie –le dijo Rocco.

A Ottavia las piernas casi no la sostenían, pero de algún modo logró plantar los pies en el fondo y salir como pudo del agua.

–¿Qué… qué ha pa-pasado? –inquirió, temblorosa aún por el susto.

–No lo sé, pero te aseguro que voy a averiguarlo –gruñó Rocco–. Esto no ha sido solo una avería.

Ottavia alzó la vista hacia él y se dio cuenta de que tenía un pequeño reguero de sangre cayéndole por la sien.

–¡Estás sangrando! –exclamó. Le apartó el cabello mojado a Rocco y vio que tenía una herida en la frente, justo en el nacimiento del pelo–. No es un corte muy grande, pero está sangrando bastante. Necesitamos algo para cortar la hemorragia.

–Ten, usa esto –dijo él, sacándose un pañuelo empapado del bolsillo.

Ottavia presionó con él sobre la herida.

–¿Te duele? –le preguntó–. No quiero apretar demasiado fuerte.

–No, no me duele –respondió él–. ¿Y tú?, ¿estás bien? ¿No estás herida?

–No, aunque desde luego ha sido un buen susto –contestó ella con una sonrisa trémula–. Me has salvado la vida.

Rocco abrió la boca para decir algo, pero justo en ese momento se oyó el ruido de varias lanchas acercándose.

–Parece que vienen a rescatarnos –comentó sarcástico.

Ottavia quería darle las gracias por lo que había hecho, pero pronto se encontraron rodeados de personal de palacio, incluido un enfermero que se llevó a Rocco a una de las lanchas. A ella la subieron a la otra, la envolvieron en una manta, y los llevaron de regreso al castillo.

Capítulo Diez

Rocco entró en sus aposentos y se dirigió al dormitorio. Estaba agotado. Después del drama de aquella mañana, seguido de las reuniones que había tenido por la tarde, lo único que quería era meterse en la cama y dormir al menos doce horas.

Se había iniciado una investigación bajo la supervisión de Andrej, y ya se estaban inspeccionando los restos de la lancha, o más bien lo poco que había quedado en la superficie. Esa parte del lago era bastante profunda, y se estaban planteando llevar a la zona uno de los robots para operaciones subacuáticas de la armada para recuperar lo que quedara del casco y del motor.

Él, de cualquier modo, tenía sus sospechas sobre lo ocurrido. La flota de transporte de la Casa Real, compuesta por coches, embarcaciones y aeronaves, estaba sometida a un control riguroso y regular, y que la lancha hubiera tenido una avería de un componente le habría parecido plausible, pero… ¿que hubiera tenido dos fallos importantes al mismo tiempo?

Tenía que ser deliberado, un intento fallido de acabar con su vida. La sola idea hacía que se le revolvieran las entrañas, y que lo inundara la misma sensación de ira e impotencia que cuando habían secuestrado a su hermana. Además, una cosa era que lo atacaran a él, pero que Ottavia también pudiese haber muerto… Apretó los puños, furioso.

Al cruzar el umbral del dormitorio a oscuras oyó un ruido y se quedó quieto, escuchando, temiéndose que fuese una nueva amenaza. Solo era Ottavia, que al parecer hasta ese momento había estado fuera, en el balcón. Como era tarde pensaba que ya estaría dormida. Llevaba una bata blanca de satén, y tenía el cabello revuelto.

–Ottavia… ¿Cómo te encuentras?

–Soy yo quien debería preguntar –replicó ella, encendiendo la lámpara de la mesilla de noche–. ¿Cómo estás?

Fue hasta él y le tocó suavemente la sien, donde le habían dado cinco pequeños puntos.

–Cansado, enfadado, frustrado… –contestó él con sinceridad. Tomó su mano y le besó la palma–. ¿Y tú?

Ella murmuró que estaba bien, y aunque apartó el rostro, rehuyendo su mirada, Rocco vio que se había ruborizado. Podía fingir todo lo que quisiera, pero era evidente que no era inmune a él.

–¿Te apetece una copa? –inquirió Ottavia, yendo hacia el mueble bar.

–Gracias, la verdad es que no me vendría mal.

Ottavia sacó dos vasos y les sirvió whisky con hielo a ambos.

–¿Saben ya los investigadores qué pasó? –le preguntó, tendiéndole el suyo.

–Aún no, pero lo averiguarán –respondió él con firmeza antes de tomar un buen trago.

Ottavia le puso una mano en el brazo.

–No fue un accidente, ¿verdad? Alguien ha intentado matarte.

–Sí, pero no lo han conseguido.

–Hasta hoy nunca había pensado en que un día podría ocurrirme algo y podría morir así, de repente –murmuró ella–. Jamás se me había pasado por la cabeza pensar: «¿Y si no hubiera un mañana para mí?».

–Mientras estés a mi lado no dejaré que te pase nada –le dijo él muy solemne–. Te lo prometo.

Tomó el vaso de Ottavia y lo dejó sobre la mesilla, junto al suyo. Luego volvió a tomar su mano y le besó los nudillos.

–Hecho. Acabo de sellar mi promesa y nada podrá romperla.

–¿Así de simple? –inquirió ella, y se rio suavemente.

–Tienes razón –murmuró él, poniéndose serio–; no es suficiente. Debería rescindir nuestro contrato y dejar que te marches, que vayas a un lugar más seguro.

Ottavia lo miró con decisión y le dijo:

–Mis pensamientos iban por otro lado. De hecho, estaba pensando en ese nuevo contrato que me ofreciste.

A Rocco se le cortó el aliento.

–¿Y qué estabas pensando… exactamente?

Ottavia sacó del cajón de la mesilla unos papeles y se los tendió. Era el nuevo contrato, junto con una copia. Había firmado con sus iniciales cada página, y estampado su firma en la última. Le tendió un bolígrafo en una invitación muda y él, sin pensarlo, firmó también los dos contratos antes de arrojarlos sobre la mesilla y extender sus brazos hacia ella.

Ottavia fue con él y lo agarró por la cabeza para besarlo. No fue un beso tímido, sino todo lo contrario:

le tiró del labio inferior con los dientes, acarició sensualmente su lengua con la suya... Cuando finalmente despegó sus labios de los de él, le faltaba el aliento y el corazón le martilleaba contra las costillas.

—Quiero haceros el amor, mi señor —murmuró Ottavia—. ¿Me dais vuestro permiso?

Rocco asintió.

—Dejad que os desvista —susurró ella empezando a desabrocharle la camisa.

Rocco puso sus manos sobre las de ella para detenerla.

—Ottavia, espera.

—Déjame hacerlo, por favor...

—No.

—¿Es que no me deseas?

—Por supuesto que te deseo —replicó él con voz ronca—. Pero necesito que me contestes a esto: la decisión que has tomado con respecto al contrato... ¿ha sido porque te sentías obligada o en deuda conmigo por lo que ha pasado hoy en el lago?

Ella vaciló, y cuando dio un paso atrás Rocco se arrepintió al instante de haber arruinado aquel momento, pero entonces Ottavia se desanudó el cinturón de la bata y la dejó caer al suelo. Debajo lleva un camisón blanco y corto, semitransparente. La boca se le secó mientras la devoraba con los ojos. La fina tela dejaba entrever sus oscuras areolas, los pezones erectos y el triángulo de vello de su pubis. Avanzó hacia él, y sus pechos se balancearon suavemente con el movimiento.

—¿Qué dirías si te dijera que no voy a entregarme a ti porque me sienta en deuda contigo, sino simplemente porque te deseo?

–Te diría que tal vez aún estás bajo los efectos de un impacto, y que puede que mañana por la mañana te arrepientas.

–Estoy empezando a entender por qué el pueblo te quiere tanto –dijo ella con una sonrisa–. Siempre poniendo a los demás por delante… –tomó su mano y la colocó contra uno de sus senos–. Tócame… –le pidió en un susurro–. ¿A ti te parece que aún estoy conmocionada?

Rocco palpó su firme seno y notó contra su palma el pezón endurecido. Cuando lo frotó con la yema del pulgar, Ottavia se estremeció y se mordió el labio.

–No, no parece que estés conmocionada –le respondió con voz ronca.

Ella tomó su otra mano y la apretó contra la unión entre sus muslos.

–Y si me tocas aquí… ¿te parece que estoy todavía impactada?

El calor que emanaba de ella le sorprendió. Ottavia apretó su mano contra sí, y un suave suspiro escapó de su garganta.

–No –respondió él, con la voz aún más ronca.

–Entonces, mi rey, dejad que os haga el amor.

Rocco alzó la vista y vio el fuego en sus ojos y el intenso rubor en sus mejillas.

–De acuerdo. Entonces, desvísteme.

Ottavia no tardó nada en acabar de desabrocharle la camisa, y entre botón y botón acariciaba con las yemas de los dedos la piel que iba quedando al descubierto y le daba pequeños lametones.

Rocco nunca se había comportado de un modo tan pasivo en el sexo; jamás había dejado que fuese la otra persona quien tomase la iniciativa, pero con Ottavia le gustaba que fuera ella quien llevase las riendas. Y, para cuando le hubo quitado toda la ropa, tampoco le pareció mal que lo empujase para que se tumbara en la cama, ni que se colocara a horcajadas encima de él.

Empezó a deslizar las manos por su cuerpo, y a cada caricia se sentía más vivo que nunca. Ottavia se tomó su tiempo para explorar su cuerpo, como si la anatomía masculina fuese un territorio nuevo para ella. Su cabello suelto le rozaba la piel, haciéndole cosquillas y llevándolo a cotas aún más elevadas de tormento y excitación. Hasta el roce de su camisón era un tormento.

Introdujo las manos por debajo de él y las deslizó por sus caderas. Ottavia se quedó quieta y se puso tensa, como si estuviese esperando que ocurriera algo desagradable, pero cuando continuó acariciándola con delicadeza se fue relajando de nuevo.

Era un verdadero misterio. Por un lado rezumaba sensualidad y confianza en sí misma, pero por otro sus reacciones y hasta sus caricias parecían las de una mujer insegura en la cama. Se inclinó para besar uno de sus pezones y lo mordisqueó con cuidado, envolviéndolo con su aliento cálido y húmedo. Rocco reprimió el impulso de hacerla rodar con él para colocarse encima de ella, de arrancarle el camisón y penetrarla de una embestida.

Su cuerpo temblaba de deseo cuando las manos y la boca de Ottavia se aventuraron más allá, acercándose a su miembro erecto, y cuando lo tomó y comenzó a acariciarlo y a besarlo, todo pensamiento lógico se desvaneció, y se abandonó a las sensaciones que lo inundaron.

Ottavia se irguió para sacarse el camisón por la cabeza, y por fin pudo verla completamente desnuda. Era tan hermosa… Su piel estaba ligeramente bronceada, sus pechos eran voluptuosos, de areolas oscuras, y tenía los pezones tirantes, como si estuviesen suplicándole que los tocase, que los lamiese, que los mordisquease.

Tomó ambos senos en sus manos como quien sostiene una obra de arte, y Ottavia cerró los ojos y se inclinó hacia él con un gemido. Cuando volvió a abrir los ojos y se miraron, Rocco se sintió como si estuviese escudriñando lo más profundo de su alma.

Ottavia levantó las caderas para posicionarse sobre las de él. Rocco sostuvo su miembro y lo colocó contra ella con un resoplido. Ella lo miró a los ojos y comenzó a descender lentamente.

Rocco se arqueó para hundirse en ella y sintió cómo los músculos internos de su cuerpo se expandían para acogerlo. La sensación era exquisita, y tuvo que hacer acopio de todo su autocontrol para no retirarse y embestirla con fuerza.

Ottavia se movió, ondulando las caderas y llevándolo al borde de la locura.

–No sé si podré aguantar… –gimió–. Es tan agradable…

–Resiste… –la instó él, apretando los dientes–. Lo mejor está aún por llegar…

Deslizó la mano entre los dos y acarició el vello de su pubis antes de buscar con el índice el pequeño punto plagado de terminaciones nerviosas que sabía que la llevaría a las cumbres más altas.

Ottavia emitió un grito ahogado cuando comenzó a estimularle el clítoris, presionándolo y trazando círculos en torno a él, hasta que todo su cuerpo se estremeció y se puso rígida. Los músculos de su vagina casi lo ahogaban. Estaban apretándolo con tal fuerza y a un ritmo tan rápido que ya no pudo aguantar ni un segundo más. Gritó, extasiado, y lo sacudió un orgasmo increíble mientras sacudía sin parar las caderas.

Ottavia yacía sobre el pecho de Rocco, escuchando los latidos de su corazón. Siempre se había jurado que no permitiría que un hombre volviera a tocarla, pero no había contado con que aparecería en su vida uno como el que dormitaba en ese momento debajo de ella.

Hacer el amor con él había superado todas sus expectativas. Había leído acerca del placer que el sexo podía proporcionar a una mujer, pero nunca había confiado en ningún hombre lo bastante como para probar a hacer esas cosas.

Había recorrido un largo camino. Ya no era aquella chica aterrada de catorce años que se había despertado en mitad de la noche para encontrarse con la boca del novio de su madre tapándole la boca y su cuerpo encima de ella, impidiéndole moverse.

Atrás quedaba ahora el horrible dolor que le había hecho al forzarla, destruyendo su inocencia y su virginidad. Atrás quedaba el espanto que la había embargado al día siguiente, al oír a su propia madre negociando con aquel monstruo cuánto le pagaría por no denunciarlo a la policía y permitirle que siguiera abusando de ella.

Lo que había experimentado esa noche con Rocco había sido muy distinto de aquel acto invasivo y brutal que había sufrido a manos de aquel degenerado. En ningún momento había sentido miedo, ni se había sentido impotente. La única similitud que se le ocurría era que en las dos ocasiones se había sentido vulnerable. Pero con Rocco había sido distinto, porque no se había sentido vulnerable porque tuviera miedo de él, como sí lo había tenido de aquel hombre que había sido capaz de violar a una chica indefensa. No, con Rocco se había sentido vulnerable porque se había dado cuenta de que le había robado el corazón.

Había estado tanto tiempo protegiéndose, velando por su cuerpo y su alma con igual ferocidad. Y ahora, al entregarse a él, lo había hecho así, en cuerpo y alma; se había entregado por completo.

La decisión de hacer el amor con él había sido una de las más difíciles de su vida hasta la fecha, pero había sabido, sin la más mínima duda, que tenía que experimentar todo lo que la vida tenía que ofrecerle, sobre todo cuando había empezado a ver con meridiana claridad que se había enamorado de él.

Capítulo Once

Aquello era demasiado para asimilar así, de golpe. Ottavia se quitó con cuidado de encima de Rocco para no despertarlo y se bajó de la cama. Recogió su bata del suelo, se la puso y se fue al cuarto de baño.

Se quedó de pie frente al espejo mirando su reflejo, confundida y aturdida. ¿Cómo podía haber llegado a aquello?, se preguntó, dando vueltas por el amplio cuarto de baño. ¿Cómo podía haberse enamorado de él? ¿Cómo había conseguido Rocco encontrar un punto débil en sus defensas y llegar hasta su corazón? La verdad era que eso poco importaba, porque ya había pasado. Se había entregado a él, y lo había hecho porque había querido. La decisión había sido suya y de nadie más.

Y aun así, la idea de volver a la cama con él la llenaba de ansiedad. Tal vez darse un baño la ayudaría a calmarse, pensó. Fue hasta la enorme bañera ovalada, abrió el grifo y echó en el agua un buen chorro de aceite espumoso para el baño. Pronto un agradable aroma a rosas inundó la habitación. Cuando la bañera se hubo llenado, se metió dentro, cerró los ojos y se dispuso a relajarse.

No había vuelta atrás; lo hecho, hecho estaba. Había tomado la decisión de hacer el amor con Rocco y había sido la experiencia más maravillosa de su vida.

Solo había habido un momento, cuando la había asido por las caderas, en que había revivido aquella experiencia traumática de su adolescencia, pero las manos de Rocco eran cálidas, no frías y sudorosas, y la habían tratado con delicadeza, no con violencia.

Tan abstraída estaba en sus pensamientos que no oyó abrirse la puerta del baño, ni sintió el agua agitarse cuando Rocco se deslizó dentro de la bañera con ella, pero sí sintió sus fuertes brazos rodearla y sentarla en su regazo.

—Al despertarme vi que no estabas, y te echaba de menos —murmuró contra su cabello.

—No me había ido muy lejos.

—No, gracias a Dios no —dijo él. Se quedó callado un momento y añadió—: Hay algo que necesito preguntarte.

—Dispara —respondió ella, recostándose contra él.

Era agradable poder estar entre los brazos de un hombre y saber que no tenía nada que temer. Claro que Rocco era un hombre noble, un hombre honorable, y de no ser así no habría accedido a casarse con él.

—No es una pregunta fácil. Es que me estaba preguntando…

Ottavia se giró un poco y escrutó su rostro. La indecisión en su mirada la sorprendió; hasta entonces siempre le había parecido muy seguro de sí mismo.

—¿Qué te estabas preguntando? —lo instó a continuar.

—¿Eres…? Es decir… Antes de que lo hiciéramos… ¿Eras virgen?

Ottavia se sonrojó. ¿Tan torpe había sido en sus caricias y sus besos que le había hecho sospechar que era la primera vez que hacía aquello? ¿Qué podía decirle? No quería mentirle, pero... ¿cómo podría contarle algo tan horrible? Esbozó como pudo una sonrisa y soltó una risa forzada.

—Ya hace muchos años que no lo soy —dijo en un tono lo más despreocupado posible.

Vio alivio en los ojos de Rocco.

—Menos mal. Porque me sentía fatal pensando que tal vez había sido tu primera vez, y que no había sido todo lo delicado y atento que debería haber sido.

A Ottavia se le saltaron las lágrimas, y aunque se apresuró a apartar él rostro, parecía que Rocco las había visto, porque la tomó de la barbilla para que lo mirara y le preguntó:

—¿Qué pasa, por qué lloras?

—Es que...

Ottavia se esforzó por encontrar el modo de explicárselo, pero la respuesta de Rocco y su preocupación la habían embargado y no lograba articular palabra.

Que le hubiera dicho algo así, que lo hubiera pensado siquiera, le había llegado al corazón. Su «primera vez» había sido una aberración, y el oír a Rocco decir esas cosas tan bonitas le hizo desear haberse resistido con más ahínco, haber evitado que aquel hombre la forzara, haber podido mantenerse virgen hasta esa noche para perder la inocencia con él. Hacía tiempo que se había convencido de que ella no había tenido la culpa de que la violara, pero para una víctima era difícil aferrarse a la lógica.

—Eres un buen hombre, Rocco —le dijo, y lo besó dulcemente en los labios.

Él la atrajo hacia sí, respondiendo al beso, mientras

sus manos subían y bajaban por su espalda, encendiendo un nuevo fuego en su interior. Un fuego que consumió los viejos miedos, los malos recuerdos, las heridas de su alma…

Le rodeó el cuello con los brazos y enredó los dedos en su corto cabello. Podía sentir la erección de Rocco debajo de ella y se frotó contra él, ansiosa por volver a tenerlo dentro de sí, de que volviera a llevarla a cumbres inimaginables de placer, como antes. Rocco masajeó sus senos y le pellizcó suavemente los pezones antes de tomar primero uno y después otro en su boca.

Una espiral de intensas sensaciones se apoderó de ella cuando notó los dedos de Rocco en la parte más íntima de su cuerpo, tocándola y dibujando círculos en torno a su clítoris. Poco a poco comenzó a cabalgar sobre una nueva ola, cada vez más alto, más deprisa, hasta que se produjo en su interior un estallido de placer que se extendió hasta sus extremidades. Se derrumbó contra él como si su cuerpo se hubiera convertido en gelatina.

Rocco la alzó en volandas, salió con ella de la bañera y la sentó sobre la encimera del lavabo. Ottavia dio un respingo al notar el frío mármol debajo de ella.

—Rocco, ¿qué…? —comenzó a preguntarle, pero comprendió cuando él le abrió las piernas y se colocó entre ellas.

Su miembro erecto se alzaba orgulloso entre ambos. Alargó la mano, cerró los dedos en torno a él y lo acarició con firmeza, maravillándose con la textura de la piel y lo duro que se había puesto.

—¿Estás lista? —le preguntó Rocco con voz ronca.

El fuego del deseo brillaba en sus ojos ambarinos. Las venas se le marcaban en el cuello, los músculos de sus brazos y de su estómago estaban tensos. Estaba esperando su respuesta.

–Sí –murmuró ella, guiándolo hacia sí y olvidándose por completo del frío mármol bajo sus nalgas–. Te deseo tanto…

Se le cortó el aliento cuando la penetró, y cerró los ojos, deleitándose en la descarga de placer que la sacudió. Se agarró al borde de la encimera.

–Abre los ojos, Ottavia –le dijo Rocco.

Ella hizo lo que le pedía y se miraron. Rocco empujó su miembro un poco más adentro, provocando en ella nuevas explosiones de placer, y volvió a retirarse otro poco. Repitió ese movimiento una y otra vez, y pronto ella se encontró a punto de suplicarle que se hundiera por completo en su interior. La increíble sensación, tan íntima, de estar mirándose a los ojos, y de sus cuerpos unidos como si fueran uno solo la embargó, y se mordió el labio, tratando de alargar el momento.

Un profundo gemido escapó de sus labios, y Rocco la agarró por los muslos y empezó a moverse más deprisa. La ola de placer que se estaba formando en su vientre era cada vez más intensa, y con cada embestida Rocco llegaba más adentro de ella.

–Tócate… –le pidió Rocco entre dientes, rodeándole con un brazo la cintura para sujetarla–. Tócate como yo te toqué antes…

Al principio los dedos de Ottavia se movieron vacilantes, pero pronto encontró un ritmo satisfactorio al compás de los movimientos de Rocco, y a los pocos minutos estaba de nuevo al borde del orgasmo. En el instante en que lo alcanzó, sintió a Rocco eyacular, y los dos se estremecieron.

Cuando él se apartó, gimió a modo de protesta. No podía articular palabra; estaba agotada, lacia de tanto placer. Rocco alcanzó una toalla y la limpió con suavidad antes de secarlos a ambos. Luego la tomó en brazos, la llevó al dormitorio y la depositó sobre la cama y apagó la luz. Ottavia rodó sobre el costado y él se tumbó a su lado, con un brazo alrededor de su cintura y la mano descansando sobre su vientre.

—Y ahora, a dormir —le dijo.

Y, por una vez, ella no esperó a que añadiera «por favor».

Estaba oscuro y sentía algo sobre ella muy pesado que la oprimía. Trató de moverse, pero no podía. Notó un aliento caliente en la cara. Una mano le estrujó el pecho. Intentó gritar, pero una mano le tapó la boca con tal fuerza que casi no podía respirar. Y luego ese dolor... ese dolor lacerante...

—¡Ottavia! Despierta, no pasa nada, solo ha sido un sueño...

La luz inundó la habitación cuando se incorporó como un resorte, jadeante, con el corazón desbocado y el cuerpo bañado en sudor. Cuando Rocco se inclinó hacia ella, se apartó instintivamente. Él se echó hacia atrás al instante, pero alargó la mano para secarle con la mano una lágrima que había rodado por su mejilla.

Había dicho que solo había sido un sueño. No, un sueño no: había sido una pesadilla, igual que entonces. Hacía años que no tenía una tan vívida. Normalmente conseguía despertarse, pero esa vez se había sentido atrapada, reviviendo cada momento. Se estremeció.

–¿Estás bien? –inquirió Rocco con cautela, guardando las distancias–. ¿Quieres que te traiga algo? ¿Un vaso de agua o…?

Ottavia sacudió la cabeza. Nada cambiaría lo que había ocurrido. No había conseguido borrar aquel trauma cuando se había escapado de casa, ni con la terapia que había recibido, ni haciéndose cargo de su vida. Había días en que se preguntaba si alguna vez volvería a estar bien. Pero era una superviviente; volvería a levantarse y seguiría adelante, como tantas otras veces había hecho: con cada aliento, día a día.

–¿Quieres hablar de ello? –insistió Rocco.

–La verdad es que no. A veces tengo pesadillas. ¿No las tiene todo el mundo? –le contestó encogiéndose de hombros.

Sin embargo, vio que no lo había engañado.

–Parecías aterrada.

–Como he dicho, era una pesadilla. ¿Qué hora es?

–Las cuatro de la madrugada.

–Ya no creo que me duerma. Si no te importa, creo que me levantaré y me sentaré a leer un poco en el salón.

–Te prepararé un té.

Ottavia sabía que debería intentar convencerlo para que volviera a dormirse, pero una parte de ella ansiaba tener compañía.

–Gracias. Seguro que me irá bien.

Se puso el camisón y la bata, y fue al salón mientras Rocco, que se había puesto un pantalón y una camiseta, iba a la cocina. La verdad era, pensó sentándose en el sofá, que el tenerlo a su lado la hacía sentirse mejor. En toda su vida solo había contado con el apoyo de una persona: su primer cliente, el hombre que la había «formado».

Por aquel entonces ella estaba trabajando como camarera en un hotel, y una tarde él volvió pronto a su suite y la pilló leyendo uno de sus libros. En vez de reprenderla, la invitó a charlar sobre el libro, y cuando le ofreció trabajar para él como señorita de compañía, en un principio se negó, pensando que quería sexo.

Después de que el novio de su madre la violara había empezado a desconfiar de todos los hombres, pero aquel anciano caballero se ganó su confianza convirtiéndose en su mentor y animándola a mejorar su educación y expandir sus horizontes.

–¿Estás mejor? –le preguntó Rocco, entrando en el salón.

Dejó en la mesita la bandeja que llevaba, con una tetera y dos tazas.

–Sí, gracias.

Rocco se sentó a su lado, sirvió té en las dos tazas y le tendió una de ellas.

–¿Quieres hablar ahora?

Ottavia vaciló. No quería hablar de ello, pero… después de lo que habían compartido… Además, iba a ser su esposa, y la madre de sus hijos. Merecía saberlo. Solo tenía que encontrar la manera de contárselo.

–No tienes que decir nada si no quieres –murmuró él.

No, no sería justo, pensó Ottavia. Aquel monstruo ya le había robado demasiadas cosas: su inocencia, su adolescencia… No permitiría que su recuerdo estropease también aquella hermosa noche con Rocco.

—No pasa nada; estoy bien —dijo con firmeza.

Rocco le masajeó suavemente el cuello con una mano.

—¿Te molesta que te toque? —le preguntó, observándola con cautela.

Ottavia no sabía cómo tratar con aquel Rocco atento y comprensivo. Se sentía más cómoda con el Rocco que la había picado constantemente los primeros días, dándole órdenes todo el tiempo. Las emociones amenazaban con embargarla una vez más, y reprimió como pudo la ternura que inundó su pecho. Tenía que controlarse, tenía que mantener el control en cada momento. Incapaz de articular palabra, se limitó a sacudir la cabeza.

Los dedos de Rocco eran mágicos, pensó, sintiendo que la tensión comenzaba a disiparse poco a poco.

—Si alguna vez te cansas de ser rey, siempre puedes hacerte masajista —bromeó.

—Lo tendré en cuenta —contestó él riéndose.

Capítulo Doce

Rocco respiró aliviado al ver que ya volvía a parecer un poco más ella misma. Pensó en el miedo que había visto en sus ojos cuando la había despertado. No, «miedo» no bastaba para describir el horror y la repulsión que habían reflejado su rostro.

Miró el reloj de la pared. Eran casi las cinco, y dentro de poco tendría que prepararse para empezar la jornada. Por primera vez en su vida deseó no tener responsabilidades. Lo único que quería en ese momento era quedarse con Ottavia, poder pasar más tiempo con aquella mujer tan compleja con la que poco a poco se estaba encariñando y comprenderla mejor.

—Rocco…

—¿Sí?

—Creo que deberías saber por qué…

—Solo si te sientes preparada para hablar de ello —la interrumpió él, tomando su rostro entre ambas manos.

—No sé si lo estoy, pero quiero contártelo. Debes saberlo.

Mantuvo la mirada fija en él y todo su cuerpo se tensó, como si lo que iba a contarle fuera tan doloroso que tuviera que hacer acopio de valor antes de hablar. Rocco tomó su mano y se la apretó suavemente.

—Cuando tenía catorce años… me forzaron —comenzó a decir, con voz temblorosa.

Rocco reprimió el impulso de levantarse y romper algo. ¿Quería decir que la habían…?

–Fue un hombre con el que salía mi madre. Ocurrió un día que…

Cuando se quedó callada, Rocco volvió a apretarle la mano.

–No tienes que hablar de ello si es demasiado difícil para ti.

–No, necesito hacerlo. Por mí… Por los dos –Ottavia inspiró profundamente–. Era tarde. Yo ya me había ido a la cama y estaba dormida. Cuando me fui a mi cuarto mi madre y su novio estaban en el salón, escuchando música y bailando, y ella estaba bastante borracha. Él había estado observándome toda la noche. Cada vez que le servía a mi madre otra copa de vino me miraba y me guiñaba un ojo. Yo me sentía tan incómoda que me disculpé diciendo que estaba cansada y me fui a mi habitación –hizo una pausa e inspiró temblorosa–. Había echado la llave de mi puerta, como todas las noches, pero él debía haberle quitado las llaves a mi madre, que me imagino que se habría quedado dormida de tanto beber. Me desperté de repente, con la mano de aquel monstruo tapándome la boca mientras me decía al oído que no me molestara en gritar, que nadie vendría en mi auxilio. Me estrujó el pecho y estaba haciéndome daño, pero yo estaba demasiado aturdida y asustada para hacer nada. Cuando me levantó el camisón me revolví, intenté gritar, pero me dio un puñetazo en la cabeza que me dejó medio inconsciente. Y luego… –tragó saliva–. Luego me violó.

A Rocco le hervía la sangre.

–Ojalá pudiera borrar ese horror de tu pasado –murmuró–. ¿Y qué pasó después? ¿Se lo contaste a tu madre?

–No iba… no iba a hacerlo porque él me dijo que ella no me creería, que seguro que ella también se había dado cuenta de que había estado mirándolo toda la noche, provocándolo, que había estado pidiéndolo a gritos –le explicó Ottavia–. Pero por la mañana mi madre me pilló cuando estaba intentando lavar las sábanas, y me exigió que le dijera qué había pasado. Yo me derrumbé y se lo conté. No paraba de disculparme. Me sentía tan sucia… No sabía si era culpa mía, si lo había estado provocando sin darme cuenta, como él había dicho.

Rocco sacudió la cabeza con vehemencia.

–¡Ni hablar! ¿Cómo podría haber sido culpa tuya? Tú eras la víctima.

–Ahora lo sé, pero entonces no era más que una chiquilla y estaba tan confundida…

–¿Lo denunció tu madre a la policía?

–Iba a hacerlo. Los oí discutiendo en su habitación poco después, pero de pronto los gritos cesaron y la oí regateando con él.

A Rocco se le heló la sangre en las venas.

–¿Regateando?

–Quería que le pagara por haberme quitado la virginidad. Dijo que no lo denunciaría si lo hacía, y por lo que creí entender, estaba dispuesta a dejar que volviera a aprovecharse de mí si le pagaba más dinero.

Rocco estaba horrorizado. Que hubiera tenido que pasar por todo aquello… que la persona que debiera haberla defendido traicionara su confianza y tratara de utilizarla para sacar dinero…

–No me quedé para averiguar si cerraban el trato. Fui a mi habitación, metí en mi mochila algo de ropa y unas cuantas cosas y me marché para no volver jamás.

Rocco, incapaz de continuar sentado un momento más, se levantó y se paseó arriba y abajo, sacudiendo la cabeza, resoplando y pasándose una mano por el cabello.

–No estuve más que un par de días durmiendo en la calle antes de que los servicios sociales me encontraran. Mi madre había dado parte de mi desaparición. Les había contado que había estado flirteando con su novio, y que cuando él me había rechazado me había escapado de casa. Debió mostrarse muy convincente, porque la creyeron e intentaron hacerme volver con ella, pero yo me rebelé, y hasta amenacé con suicidarme, y al final me llevaron con una familia de acogida.

–¿Y qué pasó con tu madre? –inquirió Rocco.

Si pudiera en ese mismo momento saldría a buscar a esa mujer y a su novio y darles lo que se merecían.

–Hace unos años que murió –dijo Ottavia. Aunque hablaba en pasado, era evidente que aún le dolía su traición–. Ya no importa.

–Sí que importa –replicó él, apretando los dientes.

Jamás se había sentido tan impotente. Estaba acostumbrado a afrontar las cosas de frente, a resolver los problemas que se interponían en su camino, pero no podía hacer retroceder el tiempo y borrar lo que le había ocurrido a Ottavia, pensó con un nudo en la garganta. Tragó saliva.

–¿Y qué pasó después?

–No estuve mal con esa familia de acogida. No mostraban mucho interés por mí, pero no eran mala gente.

Volví al instituto, pero el trauma de lo que había pasado me impedía concentrarme en los estudios, y acabé repitiendo curso. Al cumplir los dieciocho, aunque aún me quedaba un curso en el instituto, ya no podía seguir en régimen de acogida, así que tuve que buscarme un trabajo y un piso de alquiler. Empecé a trabajar como camarera en un hotel.

Rocco recordó entonces su amabilidad con el servicio; sin duda los comprendía muy bien, porque había hecho las mismas tareas y llevado su misma vida. Se había calzado sus zapatos.

—A través de mi trabajo conocí a un hombre —continuó Ottavia.

Él se tensó de inmediato.

—¿Qué clase de hombre?

—Un hombre mayor. Me ofreció trabajar para él como señorita de compañía, pero sin sexo de por medio. Era un caballero —le explicó Ottavia—. Supongo que podría decirse que para él fui algo así como la Eliza Doolittle de *My Fair Lady* —añadió riéndose suavemente—. Me convirtió en la mujer que soy hoy: me enseñó las normas de protocolo, me aconsejó qué libros debía leer, y no solo me animó a terminar mis estudios de grado medio, sino también a que estudiara una carrera universitaria, y me pagó la matrícula cada curso hasta que me licencié. Cuando murió decidí aprovechar todo lo que me había enseñado. Durante el tiempo que estuve trabajando para él conocí a otros hombres ricos como él que sabían lo que yo podía ofrecer, y fue fácil hacerme con nuevos clientes. Y desde entonces he sido dueña de mi destino.

Un pensamiento cruzó por la mente de Rocco.

—¿Has vuelto a estar con algún hombre desde…? —no fue capaz de terminar la frase.

—No.

—Entonces yo…

—Sí.

Rocco inspiró profundamente y espiró, intentando asimilar lo que Ottavia acababa de decirle.

—Después de aquello jamás pensé que querría tener relaciones con un hombre —le explicó ella—. Creía que lo había superado. Asistí a terapia y desde entonces he tomado mis propias decisiones y solo he estado con personas con las que me sentía segura, pero… —sacudió la cabeza.

—¿Y conmigo te sientes segura?

Ella lo miró como si estuviese considerando cuidadosamente su pregunta y el corazón le dio un brinco cuando una hermosa sonrisa asomó a sus labios.

—Sí, y ahora más que antes. Hasta esta noche siempre me había sentido más como una víctima que como una superviviente, y ahora eso ha cambiado.

Rocco fue hasta la ventana y miró fuera, donde aún estaba oscuro, aunque el sol no tardaría en salir. Mientras observaba el cielo cambiante se prometió que buscaría a ese malnacido que la había violado y, si seguía con vida, se aseguraría de que pagara por lo que le había hecho.

Cuando llamaron a la puerta de acceso a sus aposentos, soltó una ristra de improperios entre dientes. ¿Era mucho pedir que los dejaran tranquilos? De mala gana fue a abrir. Era Sonja. «¿Quién sino?», pensó, torciendo el gesto.

—Los medios se han enterado del incidente de ayer —dijo entrando en el salón.

–Era de esperar –contestó Rocco.

–No me refiero a que la lancha fallara –puntualizó Sonja con aspereza. Levantó el periódico que llevaba en la mano y leyó en voz alta–: «Mientras el país permanece convulso por la inestabilidad política, el rey Rocco flirtea en el lago de su residencia privada de verano con una conocida cortesana, Ottavia Romolo. ¿Es apropiado este comportamiento en nuestro jefe de Estado?» –enojada, arrojó el periódico sobre un diván para que pudiera ver la fotografía que llevaba la noticia, de Ottavia a los mandos de la embarcación, mientras él, de pie detrás de ella y con los brazos rodeando los suyos, la besaba en el cuello–. Esto no ayuda nada.

Rocco se quedó mirando el periódico con los ojos entornados.

–¿Cómo han hecho esa fotografía?

–¿Acaso importa? –Sonja apretó los labios en un gesto de desaprobación–. Solo puede haberla hecho alguien desde dentro de la propiedad.

Ottavia se acercó y tomó el periódico.

–Parece tomada desde el aire.

Rocco se frotó la cara con la mano.

–Los únicos helicópteros que han sobrevolado este espacio eran nuestros, los que llevaron a las princesas al aeropuerto –dijo.

Lo cual significaba que aquella fotografía debía haberla tomado algún empleado. Rocco sintió que la ira se apoderaba de él. Quienquiera que lo hubiera hecho lamentaría aquella traición.

–Que encuentren al responsable y lo despidan de inmediato –dijo.

–¿Y entretanto? –inquirió Sonja.

–Regresaré a la capital y haré lo que pueda para apagar el fuego.

–Me temo que no será tan sencillo. Corren rumores…

–Siempre hay rumores. Yo solo me preocupo por los hechos. Haz que preparen mi helicóptero.

Sonja asintió y luego, con una sonrisa maliciosa, inquirió:

–¿Y la señorita Romolo?, ¿irá también?

Ottavia dio un paso adelante.

–Si no te importa que te acompañe, me gustaría ir –le dijo–. Tal vez ayudaría si hiciésemos un anuncio formal sobre nuestro com…

–No, hablaremos sobre eso cuando vuelva. Tú te quedas aquí –la interrumpió Rocco, en un tono más brusco de lo que pretendía.

Ottavia dio un respingo, y aunque compuso enseguida su expresión, supo que la había herido.

–Claro, lo que tú digas –murmuró.

Sonja se marchó, y Rocco se volvió hacia Ottavia.

–Perdona, esto no podía haber ocurrido en peor momento –se disculpó.

–No pasa nada; lo entiendo. Anda, ve a vestirte.

–Volveré lo antes posible; y a mi regreso, hablaremos –le prometió él.

Capítulo Trece

Quince minutos después Ottavia veía despegar del helipuerto el helicóptero de Rocco antes de alejarse hacia la capital. Tras ducharse y vestirse bajó al piso inferior, a la biblioteca, donde tanto tiempo había pasado cuando la habían tenido retenida. Se sentó en uno de los asientos de la ventana y se puso a leer una novela que había empezado hacía unas semanas, pero al poco rato se quedó dormida. La despertaron los inconfundibles pasos de Sonja Novak un par de horas después.

—¿Puedo ayudarla en algo? —le preguntó levantándose.

—El rey ha llamado. Quería pedirle que se encargara de algo por él. Se celebra una cena esta noche aquí, en el castillo, y el rey ha dado instrucciones de que haga usted de anfitriona. El general Novak la ayudará.

A Ottavia el estómago le dio un vuelco.

—¿El general?

Sonja asintió.

—En ausencia de su majestad, Andrej es quien mejor puede representarlo. Conoce al general Vollaro, el mando supremo de las Fuerzas Armadas de Sylvain. El general y su esposa, Rosina, han sido invitados en un gesto de buena voluntad entre nuestras naciones. El rey Rocco ha solicitado que se ocupe usted de entretener a Rosina Vollaro. Es tímida, y tiende a beber de más cuando su marido está ocupado con otras cosas.

–Entonces, ¿mi labor será hacer de niñera de esa mujer mientras los hombres hablan de asuntos de Estado?

Su tono hizo a Sonja enarcar una ceja.

–Sé que está más acostumbrada a socializar con hombres, pero estoy segura de que, con sus muchos talentos y su vasta experiencia sabrá adaptarse a la situación.

Aquel cumplido era un dardo envenenado en toda regla, pensó Ottavia.

–¿A qué hora debo estar lista?

–El general Novak se reunirá con usted en el saloncito de la planta inferior a las siete en punto –respondió Sonja–. No le haga esperar. Y, por favor, cuando vaya a vestirse para la cena, escoja algo clásico –la miró con desdén de arriba abajo–. Si es que puede…

Y dicho eso se marchó, dejando a Ottavia con un profundo desasosiego. El general Novak…, pensó estremeciéndose. Si no fuera porque Rocco se lo había pedido, se habría negado en redondo. En fin, probablemente le vendría bien para ir acostumbrándose a la clase de deberes que se esperarían de ella cuando estuviesen casados.

Lo único que la desagradaba era tener que pasar tiempo con Andrej Novak, pero no estarían a solas, así que podría soportarlo, se dijo, intentando convencerse. Serían solo unas horas. Además, Rocco confiaba en él, así que ella no tenía razón alguna para no darle al menos el beneficio de la duda.

***

120

Parecía que sí tenía motivos para preocuparse, después de todo. Andrej Novak tenía un serio problema: era incapaz de mantener las manos quietas, y a ella le costó no perder la sonrisa educada con que recibió a los huéspedes de Sylvain a su llegada.

Pero, cuando el general Vollaro y su esposa fueron conducidos al saloncito donde estaban esperándolos, aprovechó la oportunidad y dio un paso adelante –apartándose del general Novak, que tenía el brazo en torno a su cintura– para saludarlos e invitarlos a pasar a la terraza, donde tomarían un aperitivo.

Sin embargo, en un momento en que Rosina y su esposo se alejaron con sus bebidas a contemplar el atardecer desde la balaustrada de piedra, el general Novak se acercó a ella por detrás y le susurró al oído:

–No crea que me engaña; la tengo calada.

–¿Perdón, cómo dice? –inquirió ella, girándose hacia él.

–A los hombres nos divierte que una mujer se haga de rogar, pero los dos sabemos que está intentando engatusarme, para cuando Rocco le dé la patada.

Ottavia se apartó de él, y en un tono lo más gélido posible, le respondió:

–Estoy aquí a petición de su majestad; no me hable así.

–¿O qué?, ¿se lo dirá? –le espetó él, con una risa desagradable.

–Si me veo en la obligación de hacerlo, lo haré –le contestó ella, levantando la barbilla.

–Olvida usted, señorita Romolo –le dijo él con desdén–, que solo está aquí de paso.

En eso se equivocaba; iba a casarse con Rocco. El

121

problema era que no podía difundir aquella noticia. No sin su autorización.

—Nuestros invitados… —comenzó a decir.

—Están ocupados mirando la puesta de sol —la interrumpió el general Novak—. Y no vaya por ahí dándose esos aires. No es más que un capricho para el rey, y ya está cansándose de usted.

—¡Eso no es verdad! —exclamó ella.

—De camino al helipuerto, antes de irse, me dijo que es usted mercancía dañada.

Un escalofrío recorrió la piel de Ottavia. Era imposible… Rocco no podía haberle contado su secreto más oscuro a aquel miserable…

—Su majestad no tiene secretos conmigo —continuó Novak, con una sonrisa cruel—. Lo compartimos todo.

A Ottavia no le pasó desapercibido el énfasis que puso en la palabra «compartir».

—Pues a mí no —le espetó ella con vehemencia.

Él volvió a soltar esa risa desagradable.

—El rey no tenía por qué ir hoy a la capital. Lo sabe, ¿verdad? Lo que pasa es que no podía aguantar a su lado ni un momento más después de que le contara esa sórdida historia de su pasado.

—¡Eso no es verdad!

—¿Ah, no? —Novak tomó un sorbo de su copa y señaló a los invitados con un movimiento de cabeza—. Vamos, está aquí para trabajar. A trabajar.

Sin saber cómo, Ottavia logró sobrevivir al resto de la velada. No podía creer que Rocco le hubiera contado a aquel canalla lo que ella le había dicho en confianza.

Repasó mentalmente su conversación de esa mañana, analizando cuál había sido su actitud. Sí, había estado muy callado mientras le había relatado su historia, y en un algún momento había parecido enfadado, pero había dado por hecho que su silencio se debía al shock de escuchar algo así, y su ira, a que estaba furioso de que le hubiesen hecho daño. ¿Podría ser que se hubiese equivocado? Al fin y al cabo, no había querido que lo acompañara a la capital. Y la había cortado de un modo muy brusco cuando había estado a punto de mencionar su compromiso.

Se sentía tan confundida… Necesitaba estar a solas, y en cuanto los huéspedes se hubieron marchado, fue a refugiarse a los aposentos de Rocco, echando el cerrojo tras de sí.

Al oír de repente que llamaban a la puerta y zarandeaban el picaporte, dio un respingo.

–¿Quién es? –preguntó, aunque tenía un mal presentimiento de quién estaba al otro lado de la puerta.

–Tenemos que hablar –respondió Novak en un tono frío y duro como el acero–. Déjeme entrar.

–No. Estoy cansada.

–Pues es una lástima, porque tengo un mensaje del rey para usted, y no voy a decírselo a través de una puerta.

Aunque reacia, Ottavia abrió la puerta.

–Hable –le dijo sujetándola, preparada para cerrarla de nuevo en cuanto le hubiera dado ese mensaje.

Para su espanto, Novak empujó la puerta y entró, dedicándole una sonrisa que hizo que se le contrajera el estómago.

–Por favor, diga lo que haya venido a decirme y márchese.

—Eso sería muy descortés por mi parte —murmuró acercándose a ella e inclinándose hacia delante—. Su perfume es… embriagador.

Ottavia tragó saliva.

—¿Qué quería su majestad que me dijese? —le preguntó entre dientes.

—Ah, pues que no volverá esta noche —respondió Novak con ligereza, enredando en su dedo un mechón de su pelo—. Supongo que no le queda otra que conformarse conmigo esta noche, ¿eh?

—¡No! —exclamó ella apartándose.

—Me dijo que podía divertirme un poco con usted.

—¡Mentira! ¡Él no haría eso! —exclamó ella, desesperada.

—¿Usted cree? Por cierto, estaba preguntándome… —Novak caminó en torno a ella como un lobo hambriento—. ¿Sabe lo de Adriana?

Ottavia lo miró espantada.

—¿Cómo…?

Novak esbozó una sonrisa engreída.

—Ah, veo que no lo sabe… Sería una lástima, ¿no cree?, que se la llevaran del centro privado en el que está, y la internaran en uno público.

—Eso jamás ocurrirá. Pago para que esté donde está.

—¿Y si de repente se quedara sin dinero? ¿Qué pasaría entonces?

—Usted no tiene poder para hacer eso.

—¿Eso cree? No sé… Es algo horrible cuando *hackean* la cuenta bancaria de una persona…

Ottavia tragó saliva. No, sabía que los ahorros que tenía invertidos estaban seguros. Los gestionaba un antiguo cliente que se había convertido en un buen amigo.

Estaba segura de que solo estaba intentando asustarla, que no era más que un farol. Pero, ¿y si no lo fuera? El pensar que pudieran hacerle daño a Adriana…

–Recuerde lo que le dije, señorita Romolo: yo lo veo todo. Sé todo lo que hay que saber sobre usted… y sobre Adriana. Puedo asegurarme de que no le pase nada, y usted solo tiene que hacer una cosita por mí.

Ottavia no quiso preguntar qué era. No le daría esa satisfacción. Al ver que no decía nada, Novak la agarró del brazo y la atrajo hacia sí.

–¿La cortesana del rey no tiene curiosidad por saber de qué se trata? –dijo tirándole del pelo.

Ottavia siempre se había sentido orgullosa de su trabajo, pero el modo en que había pronunciado la palabra «cortesana» hizo que se le revolviera el estómago.

–Veo que tendré que decírselo –murmuró Novak con una sonrisa lasciva.

Y lo hizo, con detalle, del modo más grosero y explícito. Ottavia había pensado que Andrej Novak tendría un mínimo de decencia, siendo como era amigo de la infancia de Rocco. ¿No había resultado herido protegiendo a la princesa antes de que la secuestraran? O quizá… quizá la realidad fuera que ocultaba su lado sádico tras una máscara, fingiéndose leal a su rey. De pronto sentía náuseas.

–No lo haré. Es el rey Rocco quien me ha contratado.

–Si no lo hace, su querida Adriana sufrirá. ¿Cuántos años tenía? Ah, sí… catorce, la misma edad que usted cuando…

–¡No! ¡No puede hacerle eso! –gritó ella horrorizada.

Lo que estaba sugiriendo era una abominación. Había pasado todos esos años protegiendo a Adriana. Daría su vida antes que permitir que le hicieran daño.

Pero Novak no quería su vida; la quería a ella. Había sufrido algo peor años atrás, se dijo, y había sobrevivido. Pero Adriana no sobreviviría a algo así. Tal vez solo pretendiese asustarla, tal vez no pudiera llegar hasta Adriana, pero no podía arriesgarse.

—Está bien —dijo, escupiendo las palabras—. Suélteme.

—¿Que la suelte?

—Necesito prepararme.

—¿Es así como lo llama? Quizá podría empezar sirviéndome una copa.

—Deje que me cambie primero —insistió Ottavia.

—Bueno, supongo que podría ser interesante. Adelante —dijo con una floritura de la mano—, cámbiese, aunque yo personalmente no lo veo necesario. Dentro de unos minutos estará desnuda y dispuesta debajo de mí.

¿Dispuesta? ¡Jamás!, se juró para sus adentros, mientras se dirigía al dormitorio. Agarró un camisón y una bata, se metió en el cuarto de baño y echó el pestillo. ¿Y si se quedara allí y se negara a salir? No, no podía hacer eso; no podía poner a Adriana en peligro.

Mientras se cambiaba, pensó en lo que le había dicho Novak, en que Rocco le había revelado su secreto. Parpadeó para contener las lágrimas que le quemaban los ojos. Había sido una tonta. Durante toda su vida se había dicho que no debía confiar en ningún hombre, que no debía enamorarse… ¿Y qué había hecho?, justo lo contrario.

Se quedó mirando sus cosas sobre la repisa, encima del lavabo, y cuando sus ojos se posaron en el frasco de somníferos se le ocurrió una idea. ¿Cuántas harían falta para dejar a Novak fuera de combate? Hacían efecto muy deprisa, pero era un hombre corpulento. Con una sola pastilla no haría nada, pero sabía que mezclarlas con alcohol potenciaría sus efectos. Abrió el frasco y sacó un par. Ahora solo tenía que conseguir que se las tomase, pensó mientras las envolvía en una tira de papel higiénico y las machaba sin hacer ruido, con la base del frasco. Vertería el polvo en su copa, flirtearía con él y conseguiría que se tomase una copa, y luego un par más. Después solo tendría que esperar.

Aquel hombre era como un buey, pensó repugnada cuando Novak se tambaleó en sus brazos mientras bailaban torpemente en el salón. Había conseguido que se tomara la primera copa con el polvo de los somníferos, y después otra más. Ya debería estar noqueado.

–Basta de baile –dijo con voz gangosa–. Vamos a lo nuestro.

A Ottavia se le revolvió el estómago. No podía hacer aquello… Novak arrastraba los pies mientras la conducía al dormitorio, y una vez allí la empujó sin la menor delicadeza, haciéndola caer sobre la cama. Se desvistió, tirando la ropa por el suelo. Tenía una erección enorme. Ottavia se tensó de miedo y de asco mientras él se masturbaba con la mano, y apartó la vista para no verlo.

–¿Qué pasa? –le espetó él con aspereza–. ¿No le gusta lo que ve?

Se arrojó sobre ella, inmovilizándola con el peso de su cuerpo mientras le desgarraba el camisón de un tirón desde el cuello hasta el dobladillo. Empezó a manosearle los senos, estrujándolos y pellizcándolos.

—Lo que viene ahora le va a gustar —farfulló.

Ottavia estaba paralizada. Aquello pasaría pronto, se dijo, rezando y conteniendo las lágrimas. De pronto, como en respuesta a sus plegarias, vio algo que le dio esperanzas: Novak se había quedado quieto. Se le estaba cayendo la cabeza hacia atrás y estaban cerrándosele los párpados. Cuando estuviera inconsciente solo tendría que quitárselo de encima de un empujón y sería libre.

Al poco por fin perdió el conocimiento y se derrumbó sobre ella. El problema era que pesaba demasiado. Ottavia apenas podía respirar, y por más que intentaba apartarlo o quitarse de debajo de él, no lo conseguía.

Y entonces se oyeron pasos y de pronto se abrió la puerta.

—¡Rocco!

Capítulo Catorce

Rocco sintió náuseas ante lo que se encontró al entrar en su dormitorio. Aturdido, sintió a Sonja pasar junto a él como un vendaval.

—Esto era lo que me temía —le dijo con grandes aspavientos—. Debí habértelo advertido. Llevaba flirteando con Andrej desde la cena con el general Vollaro y su esposa. Siento que hayas tenido que enterarte de esta manera del verdadero carácter de esa mujerzuela.

Rocco cruzó la habitación en dos zancadas y, tirando con fuerza del cuerpo desnudo de Andrej lo apartó de encima de Ottavia que, lívida, se apresuró a taparse como pudo con su camisón desgarrado.

Rocco no podía apartar los ojos de ella, ni frenar la creciente sensación de que se había burlado de él. La ira prendió en él con la fuerza y la rapidez de una llamarada.

Ottavia se bajó de la cama, temblorosa.

—Es mentira. Ella me ha tendido una trampa —dijo señalando a Sonja—. Ella y su hijo… Él me dijo que no querías nada conmigo después de lo que te conté esta mañana, que le dijiste que podía hacer lo que quisiera conmigo. ¿Cómo pudiste?

—¡Es ella quien está mintiendo! ¡Mira a Andrej! —exclamó Sonja, arrodillándose junto a su hijo, que yacía desnudo en el suelo—. Está inconsciente. ¿Qué le has hecho, bruja? —le chilló a Ottavia—. Llamaré al médico y a seguridad —sacó el móvil del bolsillo y empezó a marcar.

—Rocco, tienes que creerme —insistió Ottavia—. Ha intentado forzarme… —la voz se le quebró y se le escapó un sollozo.

—Vaya, ese lloriqueo resulta muy convincente —dijo Sonja con mordacidad, levantándose del suelo y agarrando una manta para echarla sobre el cuerpo de su hijo—. Estás hecha toda una actriz. Supongo que le contaste a Andrej esa triste historia de tu pasado que antes le contaste al rey, ¿verdad? Tu versión, al menos.

Rocco se tensó y las miró a las dos.

—¿De qué hablas? —le preguntó a Sonja.

—¡Yo no le conté nada; solo le dije que no quería nada con él! —gritó Ottavia—. ¿Y cómo sabe lo de mi pasado? ¿Quién se lo ha contado?

Se quedó mirándole a él de un modo acusador, y Rocco sintió que la sangre le hervía en las venas de indignación. Era ella quien lo había traicionado, no al revés.

—Es ella quien miente —le dijo Sonja mirándolo a los ojos—. Tengo pruebas.

—¿Pruebas? —Rocco sacudió la cabeza, se dio media vuelta y se dirigió hacia la puerta—. Estaré en mi despacho. Di a los guardias que se aseguren de que ella no salga de aquí, y ven a hablar conmigo cuando el médico se haya hecho cargo de Andrej.

No volvió la vista atrás mientras salía al pasillo, pero cuando se cruzó con dos guardias de seguridad se volvió, y sintió una punzada de remordimiento al verlos entrar en sus aposentos y oír las protestas de

Ottavia. Haciendo de tripas corazón, siguió andando y bajó por la escalera al piso inferior, donde estaba su despacho.

Una vez allí se dejó caer en la silla de cuero tras su escritorio y apoyó la cabeza en las manos. ¡Y pensar que había vuelto a toda prisa porque no podía estar un momento más sin ella…! Ahora sabía que todo ese tiempo había estado burlándose de él.

Veinte minutos después llegó Sonja.

–Siento que hayas tenido que presenciar algo tan desagradable –dijo cerrando tras de sí.

–Andrej… ¿está bien? ¿Por qué estaba inconsciente?

–Se recuperará. El médico dice que puede que fuera por beber vino. Ya sabes que está tomando un analgésico muy fuerte para el dolor del hombro, por el disparo que recibió al intentar impedir el secuestro de Mila. O puede que esa mujer lo drogara. Le han sacado sangre para analizarla, y lo tienen monitorizado.

Rocco se levantó y fue hasta la ventana.

–¿Y dices que ella llevaba un tiempo detrás de él? –le preguntó, mirando los jardines y el lago, bañados por la luz de la luna.

–Eso parece. Andrej trató de disuadirla, pero supongo que ni siquiera él es inmune a esa clase de mujer.

–Has dicho que tienes pruebas de que ella no es fiar.

Sonja suspiró.

–Así es.

–Pues habla.

–Esas filtraciones que ha habido a los medios… creo que fue ella quien las hizo. Ordené que volvieran a confiscar su portátil, y nuestro especialista en seguridad informática encontró varios documentos borrados, entre ellos un correo electrónico que había enviado a un periódico nacional dos días antes de la recepción de las princesas.

–¿Y? –la instó él a continuar cuando la vio vacilar.

–Les adjuntaba la lista de invitados a la recepción.

Rocco apretó los puños con frustración.

–¿Y encontró algo más?

–También estaban esas fotografías tuyas con ella en la lancha.

–Es imposible que ella hiciera esas fotos –protestó Rocco, que aún quería creer que se trataba de un error.

–No, pero desde luego sabe cómo aprovechar su belleza y su poder de seducción, y no me extrañaría que hubiese convencido a alguien para que las hiciese. Imagino que estás al corriente de que el piloto de uno de los helicópteros que transportó a las princesas al aeropuerto ese día presentó su dimisión ese mismo día. Y según parece, de repente tiene los suficientes recursos como para abrir su propio negocio de vuelos chárter.

Rocco se volvió hacia ella.

–Pero no puede estar detrás del sabotaje de la lancha.

–¿Eso crees?

Las semillas de la duda que Sonja había sembrado en su mente eran puro veneno. Difícilmente podría refutar lo que acababa de decirle.

–Si eso es todo, me gustaría poder estar a solas para…

–Hay más.

132

¿Qué más podía haber? Rocco se sentía como si fuera a estallarle la cabeza.

—Tiene una hija.

—¡Una hija!

—Sí, pero parece que entre las cualidades de la señorita Romolo no está la de ser una buena madre, porque al parecer la niña tiene algún tipo de discapacidad y la tiene recluida en un centro desde que nació.

De modo que no le había contado más que mentiras…

—Haz que la traigan a mi presencia y, cuando haya terminado con ella, que la echen de aquí.

—¿Quieres que presentemos una demanda contra ella?

—No. Lo único que quiero es no volver a verla jamás.

Minutos después tenía a Ottavia frente a él. Tenía cara de haber llorado y el pelo alborotado, pero al menos se había vestido.

—Déjennos a solas y cierren la puerta —le ordenó Rocco a los guardias de seguridad.

—Por favor, dime que estás dispuesto a escucharme —le suplicó Ottavia cuando se hubieron marchado.

—¿Para escuchar más de tus mentiras? —le espetó él con una risa cínica—. Me parece que no. Lo que has hecho no tiene nombre. Te quiero fuera de mi castillo y de mi vida.

—No lo dirás en serio… ¿Es que no lo ves? Me tendieron una trampa, Sonja y su hijo. Han debido estar conspirando juntos para…

—No me lo puedo creer. ¿Después de todo vas a seguir mintiendo? ¿Esperas que te crea a ti, en vez de a dos personas que llevan toda la vida dándome su apoyo? –le espetó Rocco–. ¿Y cuándo pensabas decirme que tienes una hija, o confiabas en que no llegara a enterarme porque la tienes internada en un centro?

–¿Estás hablando de mi hermana? –inquirió Ottavia frunciendo el ceño–. ¿Qué tiene que ver ella en esto?

¿Su hermana? Sonja le había dicho que era su hija… Se preguntó si Ottavia podría estar mintiéndole. Claro que, ¿por qué habría de mentirle en algo así, con lo fácil que le sería desenmascararla? Además, parecía contrariada de verdad.

Por un momento empezó a dudar. ¿Y si Sonja se equivocaba? ¿Podría ser que hubiera otra explicación a todo aquello? Lo justo sería escuchar a ambas partes…

No. Dejó sus dudas a un lado. No era la lógica quien hablaba, sino su corazón, que estaba desesperado por creer que Ottavia no lo había traicionado.

–No más mentiras –le dijo–. Ya he tenido bastante. Te marcharás esta misma noche.

Ottavia se quedó mirando a Rocco con incredulidad. ¿Cómo podía ser que las cosas hubiesen dado aquel vuelco en solo un espacio de doce horas? ¿Por qué se negaba a creerla? Creía haber encontrado a alguien que la amaba; no podía creer lo equivocada que había estado… Aferrándose a la poca dignidad que le quedaba, le preguntó con aspereza:

–Entonces, ¿nuestro contrato queda anulado?

–Quedó anulado desde el momento en que decidiste acostarte con Andrej –le espetó él.

Sus palabras fueron como una bofetada para ella.

Se había entregado a él por completo, a pesar de que jamás había creído que pudiera tener relaciones íntimas con un hombre después de lo que le había pasado. Los ojos se le llenaron de lágrimas de dolor, pero parpadeó para contenerlas. No iba a darle la satisfacción de verla llorar.

Rocco abrió la puerta para que entraran los guardias de seguridad.

–Eso no será necesario –increpó a uno de ellos cuando fue a agarrarla por el brazo.

La condujeron de nuevo a los aposentos de Rocco para que hiciera las maletas, y mientras guardaba sus cosas, rota de dolor, se juró que jamás volvería a entregarle su corazón a ningún hombre.

En los días y semanas que siguieron se esforzó por mantener la cordura y no desmoronarse, sobre todo cuando, cada vez que iba a visitar a Adriana, tenía que evitar a los reporteros, cámaras y fotógrafos apostados a las puertas del bloque de apartamentos donde vivía.

Pero por más que se esforzaba no conseguía levantar cabeza. Incluso estaba afectando a su salud, porque cada mañana vomitaba lo poco que era capaz de desayunar, y al final, hastiada, había acabado pidiendo cita con el médico.

Al volver a su apartamento estaba completamente aturdida. Al menos no estaba enferma, se repetía una y otra vez, aunque en muchos sentidos una enfermedad habría sido mucho más fácil de sobrellevar que la noticia que acababa de darle el médico.

Todavía no podía creerse que estuviera embarazada, y por más que deseara poder evitarlo, sabía que tenía que contárselo a Rocco. Le llevó algo de tiempo y unas cuantas llamadas a varios de sus clientes y contactos, pero finalmente consiguió un número a través del cual debería poder ponerse en contacto con él. No le sorprendió que fuera Sonja Novak quien contestara el teléfono.

–Soy Ottavia Romolo; querría hablar con su majestad –le dijo en un tono lo más asertivo que pudo.

–No tiene usted vergüenza –le espetó Sonja en un tono gélido–. Llamar aquí después de lo que hizo…

–Por favor, es un asunto muy importante –insistió ella, tragándose el orgullo.

–Su majestad no tiene el menor deseo de hablar con usted, y estoy segura de que se lo dejó muy claro –respondió Sonja–. Adiós, señorita Romolo; no se moleste en volver a llamar.

Sonja Novak era la última persona a quien habría querido darle la noticia, pero necesitaba que Rocco lo supiera, y si para ello tenía que decírselo a su *rottweiler*, lo haría.

–¡Espere! Solo un segundo… Estoy embarazada.

–¿He oído bien? –inquirió la mujer en un tono desagradable.

–Sí, estoy embarazada.

–¿Y por qué habría de interesarle eso al rey?

Ottavia cerró los ojos y apretó los labios.

–Porque el bebé es suyo y debe saberlo.

Hubo un silencio al otro lado de la línea.

–Está bien. Deme su número –respondió finalmente Sonja con tirantez.

Ottavia se lo dictó y esperó a que Sonja se lo repitiera.

–Le daré su mensaje al rey, y será él quien decida si la llama o no –le dijo, y colgó.

Tuvieron que pasar dos días, cuarenta y ocho tortuosas horas, antes de que su teléfono sonase. Cuando miró la pantalla y vio que ponía «número privado», una pequeña llama de esperanza se encendió en su corazón.

–¿Diga? –respondió, con una confianza en sí misma que no sentía en ese momento.

–Así que dices que estás embarazada.

No sonaba como el Rocco que había compartido con ella recuerdos de su infancia mientras paseaban a orillas del lago, ni como el que le había susurrado en la oscuridad cuando habían hecho el amor. No, la voz del Rocco al otro lado de la línea carecía por completo de cualquier calidez o amabilidad. Era la voz de un monarca distante.

–No tengo motivos para mentirte –le dijo.

–¿Y por qué debería creer que ese bebé es mío?

–No me acosté con Andrej, y tú eres el único hombre con el que tenido relaciones en más de diez años. No puede ser de nadie más. ¿Por qué te niegas a creerme?

–Porque me mentiste en todo lo demás. Sé que filtraste a la prensa la lista de invitados de la recepción de las princesas, y que también negociaste con ellos la venta de esas fotos nuestras en el lago.

–¡Yo no hice nada de eso!

–Las pruebas estaban en tu portátil. No vuelvas a intentar ponerte en contacto conmigo –le dijo con aspereza, y cortó la comunicación.

Ottavia volvió a colocar lentamente el teléfono sobre la base y se dejó caer de rodillas, derrotada y con el corazón hecho añicos. Desde un principio no había tenido la más mínima posibilidad. Gracias a la manipulación de Sonja Novak y su endiablado hijo, Rocco ni siquiera estaba dispuesto siquiera a escucharla.

Capítulo Quince

Días después, cuando la vida de Ottavia casi volvía a parecer normal, recibió de noche una llamada que lo cambió todo.

—¿Señorita Romolo?

—Sí. ¿Quién llama?

—Soy enfermera en el hospital Queen Sophie memorial. Figura usted como el pariente más próximo de una paciente que acaba de ingresar.

—¿Una paciente?

—Sí, Adriana Romolo.

El corazón le dio un vuelco. La noche anterior, cuando había hablado por videoconferencia con Adriana, le había parecido que estaba un poco alicaída, y su cuidadora le había mencionado después que estaba resfriada y tenía un poco de fiebre. Por sus problemas de corazón cualquier enfermedad que tuviera debía ser cuidadosamente vigilada, pero se había quedado tranquila porque su cuidadora era enfermera titulada. Sin embargo, la situación debía ser más seria de lo que había pensado, si habían tenido que llevar a Adriana al hospital.

—Le han diagnosticado neumonía —continuó la enfermera—. Necesitamos que venga tan pronto como le sea posible.

Ottavia apuntó la dirección del hospital y llamó

para pedir un taxi que la llevara. Había mucho tráfico en el centro de la ciudad, y se pasó todo el trayecto al borde del asiento, como si con ello fuese a conseguir que el taxi fuese más rápido. En cuanto llegaron a la entrada pagó al taxista, diciéndole que se quedara la vuelta, y entró corriendo en el edificio.

Subió a la planta que le habían indicado, y se identificó en el mostrador de control de enfermería.

–Acompáñeme –le dijo una de las enfermeras.

Iban por un pasillo cuando sonó una alarma, un pitido insistente que hizo que empezara a acudir personal a toda prisa hacia una habitación a unos pocos metros.

–¡Espere aquí! –le ordenó la enfermera que estaba con ella.

Pero Ottavia no podía esperar. Tenía que ser la habitación de Adriana… Se coló detrás de un médico de bata blanca, y con el corazón en un puño vio a su querida hermana tendida en la cama, inmóvil y pálida, enchufada a varias máquinas y rodeada por un enjambre de médicos y enfermeros que empezaron a preparar una maniobra de reanimación cardiopulmonar. Lo intentaron una y otra vez, y Ottavia no despegaba los ojos de la máquina que monitorizaba el corazón de Adriana, rogando a Dios por que diera muestras de vida, pero solo mostraba una línea horizontal y hacía ese espantoso pitido. El corazón de Adriana no latía, por más que lo intentaban seguía parado.

Siempre había sabido que el corazón de Adriana era débil, y el pronóstico a largo plazo nunca había sido bueno. El perderla prematuramente era algo que había sabido que pasaría, antes o después, pero no había pensado que fuera a ser tan pronto.

Aturdida, oyó a un médico anunciar la hora de la muerte y, uno por uno, el resto del equipo fue abandonando la habitación y ofreciéndole sus condolencias, y de algún modo logró permanecer entera hasta que se quedó a solas con su hermanita.

Se acercó a la cama, apartó un mechón oscuro de la frente de Adriana y, cuando las lágrimas comenzaron a rodarle por las mejillas, no hizo ningún esfuerzo por contenerlas.

Desde el momento en que se había enterado de que tenía una hermanastra, había hecho todo lo que había estado en su mano para darle una vida digna y mantenerla a salvo. Solo tenía dieciocho años cuando había recogido a Adriana, que entonces no tenía más que tres, de la institución pública para enfermos mentales donde la había abandonado su madre. Parecía que tener que cargar con una niña con síndrome de Down y con los problemas de salud de Adriana había sido demasiado para ella.

Aquel centro dejaba mucho que desear, y Ottavia había utilizado el dinero que había ido ahorrando de su trabajo para ingresarla en un sitio privado mejor acondicionado y con personal cualificado. No era barato, y por eso su prioridad todos esos años había sido ganar más para poder pagar sus cuidados hasta que hubiese ahorrado lo suficiente para comprar una casa para las dos.

Ahora tenía el dinero –Rocco había hecho que le ingresaran en su cuenta la suma que habían acordado al firmar el contrato inicial–, y era más que suficiente para que no tuviera que volver a trabajar, pero no sería lo mismo sin Adriana.

–Te quiero –murmuró, apretándole la mano, con las lágrimas agolpándosele en la garganta–. Te querré siempre, hermanita.

Se inclinó, la besó en la frente y salió de la habitación. Había papeles que firmar, tenía que organizar el funeral y reconstruir su vida… sola. No, sola del todo no, se recordó, llevándose la mano al vientre, y ese pensamiento le dio fuerzas.

Los días siguientes pasaron muy deprisa, como si los hubiera soñado. Al funeral solo asistieron unas pocas personas, pero eran aquellas que habían conocido y querido a Adriana. Ottavia estaba pensando irse a los Estados Unidos una temporada. Necesitaba ordenar sus pensamientos y decidir cómo iba a vivir el resto de su vida.

Rocco se paseaba de un lado a otro de su despacho en el palacio de la capital. Habían pasado cuatro meses desde la marcha de Ottavia, y el día anterior el parlamento había solicitado, tras una votación secreta, su abdicación. La mayoría estaba dispuesta a apoyar al hombre que quería arrebatarle el trono… aunque seguía sin hacer pública siquiera su identidad.

Rocco, sin embargo, acababa de descubrir una pieza clave del puzle y había llegado el momento de actuar, antes de que acabara destronado.

Pensó en la noche en que había ordenado que echaran a Ottavia del castillo, en las intrincadas mentiras que le habían contado. Y él había creído todas y cada una de ellas… Pero no podía perder el tiempo lamentándose, no ahora que tenía pruebas de quién había estado detrás de aquello. Llamaron a la puerta y después de que diera su permiso entró Sonja.

–He venido para conocer tu decisión –le dijo sin rodeos.

–¿Mi decisión?

–Ayer el parlamento solicitó que dieras una respuesta con respecto a tu abdicación. Sugiero que hagamos el anuncio a la hora del almuerzo. He avisado a los medios para que se reúnan en el salón de prensa y he preparado tu discurso.

Rocco le sonrió. No tenía ni idea de que acababa de caer en la trampa.

–Siempre tan eficiente. Sin embargo, me temo que no habrá ninguna abdicación.

Las mejillas de Sonja se tiñeron de ira y sus ojos relampaguearon feroces.

–Ya no puedes hacer nada; no te has casado y no tienes un heredero. Debes abdicar en favor de tu hermanastro.

¿Que debía abdicar? La sonrisa se borró del rostro de Rocco, y se preparó para enfrentarse a la víbora que había estado ocultándose en el nido bajo la apariencia de la persona en quien más había confiado. Toda su familia había confiado en Sonja. ¿Y para qué?, ¿para que intentara poner en el trono a su propio hijo?

–Te equivocas; no tengo ningún hermanastro. Me temo que tendrás que olvidarte de los sueños que tenías para tu hijo. Andrej jamás será rey –le dijo con firmeza.

–Es el primogénito de tu padre –le espetó Sonja–. Merece ocupar el trono.

Había habido rumores de que su padre y ella habían sido amantes, pero Rocco no le había prestado ninguna atención, como otros rumores que habían circulado por aquel entonces. La verdad era que esos chismorreos siempre le habían dado igual. Su padre había sido un mujeriego, y no le sorprendería que tuviera toda una ristra de hijos ilegítimos desperdigados por el país. Pero, si algo tenía claro, era que Andrej no era alguien a quien se le pudiese confiar la Corona.

Ahora tenía pruebas de que la lancha había sido manipulada, y de que se habían desviando fondos para sobornos y para armar a los hombres que habían secuestrado a su hermana, meses atrás. Pruebas más que suficientes de que Andrej estaba detrás de todo aquello. De hecho, cuando había saltado el escándalo del supuesto romance entre Ottavia y Andrej, Marie, la joven criada, le había dicho que el hijo de Sonja había amenazado y chantajeado a varias chicas del servicio para llevárselas a la cama, y que seguramente habría hecho lo mismo con Ottavia.

El puzle estaba completo. Tal vez Andrej fuera o no fuera hijo de su padre, el anterior rey, pero lo que sí estaba claro era que le había mentido, que había orquestado el secuestro de su hermana, que era chantajista y un depredador sexual… y que había intentado asesinarle.

—El país entero se encuentra en una situación de una gran inestabilidad —continuó Sonja—. ¿Crees que puedes evitar una guerra civil? No puedes. Te consideras a ti mismo el líder supremo de la nación, pero no sabes nada de tácticas militares. Andrej es el único que puede devolver a este país su antigua gloria.

—¿Después de crear la inestabilidad a la que ahora nos enfrentamos?

–La inestabilidad que yo le ayudé a crear –respondió ella con una sonrisa petulante–. Yo sabía lo de la ley de sucesión desde el principio. Sabía que le daría a mi hijo la oportunidad de ser coronado rey. Yo habría sido mucho mejor reina que tu madre, tan débil de carácter… Pero tu padre se negaba a escucharme, así que me aseguré de que un día mi hijo llegaría a reinar. Aunque tengo que confesar que convencer a tu antigua novia, Elsa, de que no debía casarse contigo, fue más difícil de lo que esperaba. Pero basta de cháchara: no tienes elección; debes abdicar.

Lo que acababa de decir sobre Elsa dejó aturdido a Rocco, aunque no tanto como el darse cuenta de hasta qué punto era retorcida aquella mujer a la que hasta entonces había considerado de confianza.

–Aún soy rey, y lucharé contra ti con todos los medios a mi alcance –le advirtió.

Sonja creía que había conseguido volver en su contra a todos los miembros más influyentes del parlamento, pero no sabía que él había convocado una sesión secreta en la cámara, y que, cuando les había presentado las pruebas de todo lo que habían hecho ella y su hijo, se habían quedado espantados.

Quizá algunos solo estaban fingiendo, y estaban al corriente, pero ahora que él había sacado a la luz todas aquellas pruebas contra ellos, ninguno parecía dispuesto a ponerse del lado de los Novak. Por unanimidad habían respaldado la decisión de Rocco de que ambos fueran arrestados. Andrej ya estaba bajo arresto, pero Rocco había insistido en que antes de que arrestaran a su madre también, quería enfrentarse a ella cara a cara. Y ahora que ya lo había hecho, era el momento de bajar el telón. Apretó un botón de su escritorio, y dos guardias entraron de inmediato en su despacho.

—Confísquenle a la señora Novak su teléfono móvil y llévensela.

—¡No puedes hacer esto! —protestó Sonja, resistiéndose cuando la agarraron por los brazos—. Mi hijo es el auténtico heredero al trono de Erminia.

—Llévensela —dijo Rocco repugnado.

Las protestas de Sonja siguieron oyéndose mientras los guardias se alejaban con ella por el pasillo. Sería retenida hasta el juicio. Y comprobaría esa afirmación suya de que Andrej era hijo de su padre; ya había pedido que se hiciera una prueba de ADN. De cualquier modo, lo fuera o no, sería juzgado por lo que había hecho, igual que ella.

Los resultados de la prueba invalidaron la reivindicación de Sonja: su hijo no tenía ni una gota de sangre real, y ambos fueron juzgados y condenados. Pasarían una buena temporada en la cárcel.

El efecto que aquellos acontecimientos tuvieron en su pueblo fueron sorprendentes: pocos estaban ya dispuestos a apoyar públicamente a Andrej una vez fueron desveladas sus fechorías y sus maquinaciones, y pronto fueron arrestados todos los que le habían prestado ayuda de uno u otro modo. Además, se convocó un referéndum nacional para votar sobre la ley de sucesión, y para el alivio de Rocco la gente votó masivamente a favor de que fuera derogada. Había puesto en orden su reino y no había perdido la Corona. Quizá ahora podría ocuparse de reparar el daño que le había hecho injustamente a otra persona.

Capítulo Dieciséis

Rocco apretó varias veces el botón del apartamento de Ottavia en el telefonillo, pero no hubo respuesta. Se dio la vuelta y se puso a caminar calle abajo. A pesar de que aquel era el número, no estaba allí.

No podía ser que estuviera evitándolo. Se había ocupado de que su visita a Nueva York se llevase a cabo bajo el más estricto secreto, así que, si estaba en el apartamento, era imposible que no hubiese contestado al telefonillo porque supiera que era él. Seguramente no estaba en casa. Al llegar a la esquina donde estaba aparcado su coche, el chófer le abrió la puerta, pero él sacudió la cabeza.

–Voy a dar una vuelta corta –le dijo a sus guardaespaldas.

De inmediato estos le expresaron sus reticencias a esa idea, pero él se mantuvo firme. Quería estar en algún sitio desde donde pudiera ver el portal del bloque de apartamentos de Ottavia, por si volvía. Claro que tendría que ser desde algún sitio donde ella no pudiera verlo, no fuera a marcharse de nuevo y decidiera no volver hasta que él se hubiera ido. Calle abajo estaba el parque Union Square. Ese sería un buen sitio.

Su equipo de seguridad lo rodeó cuando echó a andar, protegiéndolo al tiempo que hacían como si no fuese más que otro neoyorquino que iba a lo suyo en aquella mañana de sábado, bien abrigado contra el frío aire otoñal.

Cruzó el paso de cebra, entró en el parque y se sentó en un banco que miraba hacia la calle de Ottavia. ¿Y si la dirección que le había dado el investigador estuviese equivocada?, se preguntó, subiéndose el cuello del abrigo. No, le había asegurado que era allí donde estaba viviendo Ottavia. Donde había vivido desde que dejara Erminia tras la muerte de su hermana.

Se había sentido fatal al saber la verdad sobre Adriana. Le había sorprendido descubrir que Ottavia había destinado la mayor parte de sus ganancias a un fideicomiso que aseguraría que el centro privado en el que había estado ingresada su hermana pudiese seguir en funcionamiento durante muchos años, ayudando a otros niños discapacitados.

Aunque no debería haberle sorprendido que además de discreta y eficiente Ottavia fuera también altruista y generosa. Era tan maravillosa como le había parecido desde un principio.

Y él en cambio se había comportado como un estúpido. Debería haberla creído. Debería haber sabido que estaba diciéndole la verdad. Bajó la cabeza y suspiró. Estaba desesperado por volver a verla, por decirle que era consciente de que había sido un idiota, por descubrir si había una posibilidad de que le permitiría demostrarle su amor por ella.

Le corroía por dentro el pensar que le había dado la espalda, cuando era ella quien le había dicho la verdad desde un principio. Solo podía rogar por que escuchara lo que quería decirle.

¿Y por qué habría de hacerlo después del modo

en que la había tratado?, le increpó una voz fría en su mente. Sobre todo después de que lo hubiera llamado para decirle que iba a tener un hijo suyo y él le hubiera colgado sin el menor miramiento.

—¿Señor? —lo llamó uno de sus guardaespaldas.

—¿Qué ocurre?

—Creo que ha vuelto.

Rocco alzó la vista y al mirar al otro lado de la calle la vio, con un abrigo rojo sobre el que caía su hermoso pelo negro. Estaba esperando en el paso de cebra y llevaba varias bolsas de la compra. Rocco no se dio cuenta de que se había levantado e iba hacia ella hasta que oyó pasos detrás de él.

—Quedaos atrás —les dijo a sus guardaespaldas por encima del hombro, sin apartar los ojos de Ottavia.

Un par de pasos más y ya estaba detrás de ella.

—Ottavia…

Ella se volvió, y al verlo su mirada se ensombreció, se puso pálida y se tambaleó ligeramente. Él la asió por el brazo para sujetarla, pero ella se revolvió al instante.

—No te atrevas a tocarme —le advirtió con aspereza.

Rocco dejó caer la mano, y fue entonces cuando se fijó en su vientre hinchado, la prueba de su embarazo.

—No deberías cargar peso —le dijo, alargando la mano hacia las bolsas que llevaba.

—Puedo arreglármelas sola —masculló ella entre dientes.

—Pero no tienes por qué hacerlo —insistió él, y le quitó las bolsas con suavidad.

Ottavia puso los ojos en blanco.

—¿Y ahora qué? ¿Vas a acompañarme a casa?

—Si me dejas…

Rocco la miró fijamente a los ojos, rogando por que dijera que sí. El semáforo se abrió y la gente a su alrededor empezó a cruzar. Con un resoplido de frustración Ottavia se apartó de él y echó a andar también. Rocco se apresuró a seguirla, y cuando le dio alcance, ella le dijo con fastidio:

—No soy una inválida, ¿sabes?

—Lo sé. Pero querría hablar contigo.

Al llegar a su portal, Ottavia se detuvo y se volvió hacia él.

—El momento ya pasó. No tenemos nada más que decirnos.

A pesar de esas palabras frías, su rostro contraído delataba el dolor que aún la embargaba.

—¿Por favor? —insistió él.

Era la única arma que le quedaba, y por suerte funcionó.

—De acuerdo —murmuró Ottavia—. Pero solo tú, ellos no —añadió, lanzándole una mirada a sus guardaespaldas.

—Ya habéis oído a la dama —le dijo Rocco a sus hombres.

—Os esperaremos aquí, majestad —respondió el jefe del equipo.

—No tardará —les aseguró Ottavia con sorna, antes de entrar en el edificio.

Subieron en el ascensor, y cuando entraron en su apartamento ella le indicó con un ademán que dejara las cosas sobre la mesa del comedor.

Era un apartamento pequeño pero agradable, con techos altos y ventanas que se asomaban a Union Square West.

–Es bonito –comentó.

–Déjate de cortesías, Rocco. Di lo que tengas que decir y márchate.

Rocco carraspeó y se volvió hacia ella. Aquello no estaba saliendo como había esperado.

–Por favor, Ottavia, ¿podemos olvidar lo de esa última noche un momento? Me gustaría que pudiéramos hablar de verdad.

Ella suspiró, se quitó el abrigo y lo arrojó sobre el respaldo de una silla antes de sentarse en el sofá y quedarse mirándolo expectante.

–Quería pedirte otra oportunidad –comenzó él, acercando una silla para sentarse frente a ella.

–¿A mí? ¿A una embustera? ¿A una mujer sin moral? Vaya, debes estar muy desesperado en tu búsqueda de esposa que pueda darte un bebé a tiempo. Espera… ¿O es que ya se te ha acabado el tiempo y no te queda otra que conformarte conmigo?

Sus palabras eran como bofetadas y, aunque se las merecía, Rocco se dio cuenta de repente de que Ottavia no sabía que ya no necesitaba casarse para no perder el trono.

–Ha habido cambios en Erminia –le dijo–. Han pasado un montón de cosas desde que te fuiste.

–¿Y se supone que debería importarme? ¿Por qué?

–Porque lo que he venido a decirte es que ahora sé que me dijiste la verdad. Y porque me he dado cuenta de lo mal que te he tratado, y quiero arreglar las cosas. Si me dejas.

–¿Arreglar las cosas? –Ottavia enarcó las cejas–. ¿A ti te parece que necesito que arregles mi vida o algo así? Como puedes ver me las arreglo muy bien sola.

***

No iba a dejarse conmover, se dijo Ottavia al ver la expresión dolida de Rocco. Pero es que volver a verlo… y que hubiera ido hasta allí… No, no iba a dejar que la utilizaran de nuevo. Ni él, ni nadie. Inspiró temblorosa.

–Me da igual que seas rey –le espetó–. Por lo que a mí respecta no eres distinto de cualquier otro hombre. Hablas de arreglar las cosas, pero solo quieres utilizarme, satisfacer tus necesidades sin importarte cuáles puedan ser las mías.

–No, he venido aquí porque sé que cometí un terrible error, y porque sé que te hice mucho daño, que traicioné tu confianza en mí. Quiero borrar ese dolor; quiero llevarte a casa.

–¿Para qué?, ¿para dar a luz a tu hijo y observar desde lejos cómo lo crían otras personas? Me parece que no. Como ves tengo un hogar, y no estoy atada a nadie. Vivo mi vida según mis reglas, como yo quiero.

–¿Y no supone para ti ninguna diferencia saber que ya no necesito casarme? Se ha derogado la ley de sucesión, y las personas que habían conspirado contra mí están en la cárcel.

Ottavia lo escuchó en silencio mientras le relataba lo ocurrido con Sonja y Andrej. Al principio era incapaz de articular palabra. Su mente estaba demasiado aturdida tratando de asimilar todo lo que acababa de decirle. Inspiró, y cuando se obligó a mirarle vio la tensión en sus labios, la angustia en sus ojos ambarinos.

–Solo he tenido relaciones con dos hombres en mi vida –le dijo–. Tú, y el hombre que me violó.

Rocco apretó la mandíbula.

–Te creo, y el hombre que te hizo eso está pagando por su brutalidad en una prisión de máxima seguridad.

Ottavia parpadeó, sorprendida.

–¿Quieres decir que has hecho que lo buscaran y…?

–Tuve que hacerlo. Si hubiera podido lo habría matado, pero por desgracia eso va contra la ley.

Ottavia no sabía qué decir.

–¿Sabes lo que significó para mí entregarme a ti esa primera vez? –le dijo en un tono quedo–. No solo te entregué mi cuerpo. Me entregué a ti por completo.

–Y fue un regalo de un valor incalculable –asintió él–. Ahora que lo sé me doy cuenta.

Su voz estaba cargada de emoción, pero Ottavia se dijo que no podía dejarse influir por eso.

–Pero la noche en que me encontraste con Andrej y creíste a Sonja fue como si me arrojaras ese regalo a la cara –le espetó–. A pesar de lo que habíamos compartido, a pesar de las confesiones que te había hecho, optaste por no creerme. ¿Tienes idea de cómo me dolió?

–Lo siento, Ottavia; lo siento muchísimo.

–Y no solo eso, sino que cuando te llamé para decirte que estaba embarazada tampoco me creíste; rechazaste a nuestro bebé.

Para ella aquella había sido la mayor traición de todas. Se levantó del sofá y se rodeó el vientre con los brazos, protegiendo a la vida que crecía dentro de ella.

–He sido un estúpido, lo sé. Y te ruego que me perdones. Por favor, no volveré a creer a otra persona antes que a ti.

Ella se quedó mirándolo. Una parte de sí la urgía a absolverle de todo el mal que le había hecho, a olvidarse del dolor que había soportado, la soledad que había sentido desde que la había apartado de él, pero no podía, no le salían las palabras.

–¿Puedo pedirte al menos que me permitas ver de vez en cuando al bebé?

Ella iba a negar con la cabeza, pero en vez de eso asintió. Sabía lo que era crecer sin el amor de un padre, y sería una crueldad innecesaria negarle a su hijo la oportunidad de conocer a su padre. Los quería a los dos, al pequeño ser que crecía en su interior y a Rocco, pero ¿la quería Rocco a ella? Si la quería, desde luego no se lo había dicho. Había ido allí cargado de remordimiento y de promesas para arreglar las cosas, pero ella no quería esa clase de promesas. No quería estar ligada a un hombre solo porque estuviera embarazada de él.

Ante su silencio, Rocco se levantó.

–Gracias. Supongo que debería marcharme –le dijo con la voz quebrada–. Te traté de un modo abominable y no hay excusa para mi comportamiento. Siento muchísimo el daño que te he hecho, pero nunca me arrepentiré de haberte conocido, ni de que depositaras en mí tu confianza… aunque yo fuera tan estúpido como para traicionarla. Veo que lo que te he dicho no cambia nada y que, en realidad, como tú muy bien has dicho antes, no tengo nada que ofrecerte.

A Ottavia se le había hecho un nudo en la garganta. Tragó saliva y parpadeó para contener las lágrimas cuando Rocco se alejó hacia la puerta. Ya tenía la mano en el pomo. Si no decía nada se convertirían en dos extraños con un hijo en común. Lo que habían compartido, lo que podría haber sido... todo eso desaparecería para siempre. Era su última oportunidad de decirle lo que sentía, de preguntarle si él sentía lo mismo por ella, pero decir las palabras era tan difícil...

—¡Espera!

Cuando Rocco se volvió hacia ella, había una mirada vacía en sus ojos, como si hubiera perdido toda esperanza.

—Hay algo que sí podrías ofrecerme —dijo yendo hacia él y deteniéndose a un par de pasos.

—¿Y qué es? —inquirió él con voz cansada.

—Podrías ofrecerme tu corazón.

—Ya es tuyo, Ottavia. Lo fue desde el momento en que te vi en esa escalera con la pequeña Gina en tu regazo y me di cuenta de que eras lo único que quería en mi vida.

Las lágrimas empezaron a rodarle por las mejillas a Ottavia. ¿La quería? ¿De verdad la quería?

—Entonces, creo que es justo que te diga que yo también te quiero —le dijo—. Y, si los dos nos queremos, sería tonto vivir en países distintos, ¿no crees?

Los ojos de Rocco se llenaron de vida al oírle decir eso, y sus labios se curvaron en una sonrisa.

—Estoy de acuerdo, mi señora. ¿Y dónde proponéis que vivamos?

Ella sonrió entre lágrimas.

—Donde seáis más feliz, mi señor.

—Yo seré feliz siempre que estés a mi lado, mi amor —respondió él—. Aunque creo que sería más sencillo si viviéramos en Erminia, ¿no crees?

—Me parece perfecto.

—¿Te casarás conmigo, Ottavia? ¿Querrás ser mi

reina y ayudarme a gobernar Erminia y devolverle su grandeza?

Ottavia sentía que el corazón iba a estallarle de dicha. Rocco la amaba. No tenía por qué casarse con ella, pero quería hacerlo, y le había ofrecido su corazón y un futuro juntos.

–No has dicho «por favor» –bromeó con una sonrisa.

–¿Por favor? –inquirió él, sonriendo también.

–Nada me haría más feliz –respondió Ottavia–. Sí, me casaré contigo y seré tu reina, tu esposa, tu amor y la madre de tus hijos.

Rocco la atrajo hacia sí, y aunque su embarazo dificultaba un poco la maniobra, aquel abrazo le pareció a Ottavia el más perfecto del mundo, y cuando levantó la cabeza para besarlo, supo en lo más hondo de su corazón que afrontarían unidos cualquier revés del destino y que vivirían felices por siempre jamás.

Bianca

Ella comenzó a sucumbir ante las expertas caricias de su amante...

Samantha Wilson no había olvidado el dolor de haber sido rechazada por Leo Morgan-White en su adolescencia. Pero, cuando el imponente millonario le ofreció una forma de poner fin a las deudas de su madre, no pudo negarse.

El trato que Leo le proponía era fácil. Samantha tenía que fingir ser su prometida para ayudarle a conseguir la custodia de Adele, hija de su difunto hermanastro. Sin embargo, para Leo, la inocencia de Sammy fue un soplo de aire fresco en su cínico mundo, hasta que la tentación de satisfacer su deseo por ella se volvió irresistible.

RENDIDA AL DESEO

CATHY WILLIAMS

Acepte 2 de nuestras mejores novelas de amor GRATIS

¡Y reciba un regalo sorpresa!

Oferta especial de tiempo limitado

Rellene el cupón y envíelo a

Harlequin Reader Service®
3010 Walden Ave.
P.O. Box 1867
Buffalo, N.Y. 14240-1867

¡Sí! Por favor, envíenme 2 novelas de amor de Harlequin (1 Bianca® y 1 Deseo®) gratis, más el regalo sorpresa. Luego remítanme 4 novelas nuevas todos los meses, las cuales recibiré mucho antes de que aparezcan en librerías, y factúrenme al bajo precio de $3,24 cada una, más $0,25 por envío e impuesto de ventas, si corresponde*. Este es el precio total, y es un ahorro de casi el 20% sobre el precio de portada. !Una oferta excelente! Entiendo que el hecho de aceptar estos libros y el regalo no me obliga en forma alguna a la compra de libros adicionales. Y también que puedo devolver cualquier envío y cancelar en cualquier momento. Aún si decido no comprar ningún otro libro de Harlequin, los 2 libros gratis y el regalo sorpresa son míos para siempre.

416 LBN DU7N

Nombre y apellido	(Por favor, letra de molde)
Dirección	Apartamento No.
Ciudad	Estado	Zona postal

Esta oferta se limita a un pedido por hogar y no está disponible para los subscriptores actuales de Deseo® y Bianca®.
*Los términos y precios quedan sujetos a cambios sin aviso previo.
Impuestos de ventas aplican en N.Y.

SPN-03   ©2003 Harlequin Enterprises Limited

Bianca

Estaba dispuesto a traspasar los límitesde su acuerdo con tal de satisfacer su ardiente deseo

Violet Drummond no estaba dispuesta a asistir sin pareja a la fiesta de Navidad de su oficina, pero Cameron McKinnon, un amigo de la familia, parecía la pareja perfecta para el evento. Hasta que le contó a Violet que planeaba convertirla en su novia de conveniencia.

Cameron, un adinerado arquitecto, consideró esa farsa como la escapatoria perfecta ante la atención no deseada que le prestaba la esposa de un cliente. Sin embargo, los falsos sentimientos se convirtieron enseguida en atracción de verdad…

LA MENTIRA PERFECTA

MELANIE MILBURNE

Deseo

Heredero ilegítimo
Sarah M. Anderson

Zeb Richards había esperado
años para hacerse con la cer-
vecera Beaumont que por derecho era suya. Pero dirigir aquella
empresa conllevaba enfrentarse
a una adversaria formidable,
Casey Johnson. Era una mujer
insubordinada y obstinada.

Casey se había ganado su puesto en la compañía que tanto
quería y ningún presidente, por
irresistible que fuera, iba a in-
terponerse entre ella y sus am-
biciones. Hasta que una noche
de desenfreno cambió el repar-
to de poderes. Casey se había
enamorado de su jefe y estaba
esperando un hijo suyo.

*Aquel jefe rompió todas las reglas en una noche,
una noche que trajo consecuencias*